À Elsa, sans qui il aurait été impossible d'écrire un livre sur les papas

À Nino, mon premier penseur

À Jules, mon deuxième intrépide

À Maradona, sans qui rien de tout ça n'aurait eu de sens

Dans la même collection

Guide de survie de la jeune maman, **Marie Thuillier**
Guide de survie de la future maman, **Marie Thuillier**
Guide de survie quand tu es une mère au bord de la crise de nerfs, **Audrey Loubens**
Guide de survie avec un ado, **Violette Joffre**
Guide de survie quand tu as 30 ans, **Aude Tessere et Nostro**
Guide de survie des jeunes grands-parents, **Marie-Pascale Anseaume, Marie Thuillier et Hervé Anseaume**
Guide de survie des jeunes retraités, **Marie-Pascale et Hervé Anseaume**
Guide de survie de la cinquantaine, **Marie-Pascale et Hervé Anseaume**

Tut-Tut est une marque des éditions Leduc.s. Découvrez la totalité du catalogue Leduc.s et achetez directement les ouvrages qui vous intéressent sur le site : **www.editionsleduc.com**

Retrouvez toujours plus de blagues et d'histoires drôles sur notre page Facebook :
www.facebook.com/EditionsTutTut

Illustrations : Pacco

Corrections : Anne-Lise Martin

© 2014, éditions Tut-Tut, une marque des éditions Leduc.s
Dixième impression (août 2018)
29 boulevard Raspail
75007 Paris - France
info@tut-tut.fr
ISBN : 978-2-36704-044-8

Achevé d'imprimer par Novoprint
Dépôt légal : avril 2014
Imprimé en Espagne

LAURENT MOREAU

GUIDE DE SURVIE
DU JEUNE PAPA

(PARCE QUE C'EST PAS GAGNÉ D'AVANCE LES MECS !)

 **TUT-TUT**

« *No, I'm your father...* »
Dark Vador

« *Tu as fait de beaux rêves mon fils ?*
– Oui
– Tu t'en rappelles ?
– Non... Et toi, papa, tu te rappelles de mes rêves ? »
Nino

« *Oh yes you can kick me*
And you can butt me
And you can break my spine
but you won't change the way I feel
Cause I love you »
The Smiths

« *J'aurais peut-être dû commencer par là* »
Françoise Dolto

CE QU'ON TROUVERA dans ce livre tout neuf

Comme l'indique le titre sur la couverture (on ne vous prend pas en traître), vous allez pouvoir vous délecter de quelques listes, bien senties pour la plupart, sur le fait d'être papa ou de le devenir un peu plus tous les jours. Dans l'ordre...

Et plein d'autres choses encore*, dont un top 10 qui n'a rien à voir avec ce livre et qui s'est caché quelque part...

* Technique marketing de « teaser », niveau 2, pour susciter l'intérêt du consommateur, lue dans « La publicité, c'est pas si compliqué finalement, c'est même un peu con ».

LE TRUC À LIRE AVANT

« Je compris tout de suite que le monde entier serait à jamais bouleversé par la découverte que je venais de faire. »

Disons-le clairement : cette phrase n'a rien à voir avec le reste qui va suivre, mais avouons quand même que pour commencer un livre, ça en impose un peu.

Vous tenez donc dans les mains un livre qui parle de « listes » et de « papa ».

Faire des listes d'abord, parce que depuis quelques années pour moi, c'est un peu devenu une sorte de drogue. Avec quelques avantages évidents parce que c'est moins cher que le crack, par exemple. Faire des listes, tout le temps, partout, peut avoir quelque chose de rassurant, c'est mettre un peu d'ordre dans le chaos, c'est se donner l'impression de garder ou de reprendre le contrôle. Surtout chez les maniaco-dépressifs, admettons. C'est surtout un exercice assez drôle, à partir du moment où vous vous essayez à des listes un peu plus funky que les listes de courses (beurre, yaourts, légumes, trucs à manger pour la semaine, PQ...).

Devenir papa ensuite. Un truc à la fois effrayant, tétanisant, angoissant et en même temps euphorisant, dynamitant, tellement excitant, et plein d'autres mots savants en « ant ». Face à l'inconnu(e), même s'il ne mesure que 50 centimètres pour 3,4 kilos, on ne sait pas toujours comment se comporter. C'est nouveau, ça crie et ça ne réagit pas comme on voudrait quand on hurle « stop » ou « ne touche pas à cette bouteille, c'est un grand cru ». D'autant qu'à l'arrivée d'un enfant dans la famille, il n'y en a souvent que pour lui et pour la mère. Vu le travail incroyable qu'elle accomplit, ça n'est pas immérité non plus. Le papa n'est trop souvent là que pour les photos et se fera en plus engueuler quand elles sont floues.

Mais pour nous aussi les papas, accueillir un petit bout de truc dans notre vie est un truc spécial. Un moment qui donne envie de parler, d'exprimer ce qu'on ressent, pour tenter de comprendre ce qui nous échappe. Et nous, on n'a pas l'émission « Les Maternelles » pour ça. Alors on cherche, on tâtonne. On rate. On feuillette des bouquins sérieux sur le sujet, qui nous prennent pour des jambons. Nous, on propose surtout d'en rire.

Pour devenir naturellement papa, progressivement, il faut surtout s'en accorder le temps et apprendre ce nouveau rôle, un peu tous les jours, comme on fait ses gammes. Au fond, être papa, ça pourrait être un truc tellement écrasant et responsabilisant qu'il faut mieux essayer de le faire en se marrant...

Avec ce livre et ces listes, maintenant vous n'aurez plus aucune excuse pour ne pas apparaître comme le père le plus cool, le plus décontracté et le plus efficace de tout le square à côté de chez vous. Ça pourrait même faire des envieuses.

NB : dans le livre il est souvent fait mention d'un « il » laissant entendre que ces listes ne s'appliquent qu'aux petits garçons. La plupart fonctionnent aussi pour les papas de petites filles. Il s'agit surtout de faciliter la lecture pour éviter d'écrire « il/elle » chaque fois.

VOUS ET LA GROSSESSE

11 CHOSES à ne surtout pas dire quand elle vous apprend qu'elle est enceinte

Ça serait dommage de gâcher les premiers instants, alors faites un effort, contrôlez-vous…

1. *« Quel est le salaud qui t'a fait ça ? Dis-moi, que je lui pète la gueule. »*

2. *« T'es vraiment sûre ? Sûre, sûre ? Tu veux pas qu'on vérifie ensemble, la technique c'est pas trop ton truc. »*

3. *« Ça peut pas être moi, j'ai simulé. »*

4. *« Ça serait déplacé de te dire que je vais pas pouvoir rester ? »*

5. *« Ah merde, comment tu vas faire ? »*

6. *« Attends, faut que j'appelle ma mère pour savoir ce qu'elle en pense. »*

7. *« Tu pouvais pas attendre la mi-temps pour me dire ça ? »*

8. *« Dis-moi que c'est pas une fille, dis-moi que c'est pas une fille… »*

9. *« OK, et toi, tu m'offres quoi ? »*

10. *« T'as eu ce que tu voulais. Donc je vais m'acheter un écran géant. »*

11. *« Bon, je peux te le dire maintenant, c'est pas mon premier. »*

30 VRAIES bonnes raisons d'avoir des enfants

Derrière les discours un peu convenus, il y a d'autres bonnes raisons de devenir papa. Celles qu'on retiendra plus facilement...

1. Gagner 11 jours de paternité au boulot alors que vous n'êtes même pas sûr que l'enfant soit de vous.

2. Ne plus faire la queue au supermarché ou pour un taxi pendant quelques années.

3. Pouvoir pleurer en public juste en montrant votre enfant du doigt et en disant « *c'est mon fils* », sans qu'on vous traite de lopette.

4. Enfin pouvoir pousser la porte d'un gynéco, le grand mystère.

5. Se promener avec un enfant dans les bras, c'est s'assurer un grand sourire féminin tous les 10 mètres (attention, le retour à la réalité sans l'enfant peut être perturbant).

6. Découvrir le monde merveilleux, mais un brin complexe, des allocations familiales.

7. Vous assurer personnellement une retraite alors que le système actuel bat clairement de l'aile.

8. Pouvoir barrer l'une trois choses essentielles à faire dans sa vie dans votre liste. Il ne vous reste plus qu'à planter un arbre et écrire un livre et la boucle est bouclée.

9. Pouvoir donner des ordres à quelqu'un.

10. Il y aura bientôt quelqu'un pour vous apporter le petit déj au lit.

11. Avoir une bonne excuse pour vous remettre aux jeux vidéo.

12. Si c'est un garçon, d'ici une vingtaine d'années il y aura sûrement de jolies jeunes filles à la maison.

13. Si c'est une fille, d'ici une vingtaine d'années il y aura sûrement de jolies jeunes filles à la maison.

14. Vous éviter un grand nombre de dîners pourris en prétextant une maladie soudaine chez l'enfant.

15. Enfin pouvoir imiter Dark Vador en vrai et dire : « *Je suis ton père.* » Ne cherchez pas forcément à l'appeler Luke pour autant, surtout si c'est une fille.

16. Pouvoir officiellement refaire un album Panini et échanger des doubles avec d'autres papas le samedi au bord du terrain.

17. La sieste refera une irruption brutale dans votre vie, pour votre plus grand bonheur.

18. Connaître la joie des parfums et de la cravate offerts le jour de la fête des Pères.

19. Il va enfin y avoir quelqu'un de moins intelligent que vous à la maison.Pouvoir vous retaper plein de vieux dessins animés à la télé « *pour être avec lui* ».

20. Avoir le droit de grossir comme la maman, on trouve ça mignon une couvade.

21. Pouvoir la quitter, elle a eu ce qu'elle voulait.

22. Pouvoir vous retaper tous les épisodes des « Soprano » pendant les nuits des premiers mois.

23. Voir toutes les copines de votre femme venir parler « nichons & contractions » en toute liberté devant vous.

24. Avoir enfin un point commun avec Brad Pitt.

25. Combler votre frustration de ne jamais avoir eu de Tamagochi.

26. Améliorer votre niveau de minigolf pendant vos nombreux séjours à venir à Center Parcs.

27. Relativiser les problèmes de mercato de l'OM ou le changement d'entraîneur du PSG.

28. Découvrir les joies de la vie de sherpa à chaque sortie.

29. Offrir à votre petit(e) le « domaine des possibles » : c'est-à-dire le plus beau des cadeaux, celui d'avoir le choix de devenir ce qu'il voudra être…

12 EXPRESSIONS à éviter

(du moins devant votre femme), et même pour déconner

Vous apprendrez au cours de ces 9 mois qu'une femme enceinte est un petit être susceptible, capable de se foutre en rogne comme vous n'auriez jamais imaginé si vous la contrariez. Alors ne le faites pas quand vous parlez de son nouvel « état ». Elle aura bien l'occasion de vous pourrir la vie sur un autre sujet de toute façon. On ne dit pas…

1. Elle est pleine

2. Elle est en cloque

3. Elle a un polichinelle dans le tiroir

4. Elle s'est fait engrosser

5. Elle va bientôt mettre bas

6. Elle attend un Kinder Surprise

7. Elle est gravide

8. Elle a passé une commande

9. Elle a une brioche au four

10. Elle est dans l'infanterie

11. Elle est mère de son arrondissement

12. Elle a une côtelette dans le buffet

11 RAISONS évidentes
de préférer que ce soit une fille

Les garçons, c'est le mal en short. Vive les petites filles.

1. La danse classique, ça se fait à l'abri et au chaud. L'hiver, on y est bien mieux qu'autour d'un terrain de foot boueux.

2. Vous pourrez toujours lui dire sur à peu près tout : « Ça, *tu sais, tu devrais demander à ta mère, c'est pas un truc de garçon, ça.* »

3. Vous pourrez aussi le dire à votre femme : « *C'est ta fille. Si ça avait été un garçon comme prévu, j'aurais géré, là c'est pour toi.* »

4. Vous ferez moins d'allers et retours à l'hôpital pour des bras cassés.

5. Votre femme a enfin trouvé un autre partenaire de shopping que vous.

6. Vous savez que c'est votre chance ultime d'enfin comprendre quelque chose aux femmes.

7. Vous pensez que vous saurez déjouer les plans machiavéliques de ses futurs petits copains.

8. Les risques de vous faire squatter votre console de jeux diminuent.

9. On fait toujours des erreurs avec le premier. Vous serez meilleur avec le garçon qui suivra.

10. Vous aurez le droit à des câlins jusqu'à 12 ans. À peu près.

11. Enfin quelqu'un qui va vous dire qu'elle vous trouve beau. En le pensant, en plus.

10 RAISONS évidentes
de préférer que ce soit un garçon

Les filles, c'est la sournoiserie en robe. Vive les petits garçons.

1. Ça vous fera une bonne excuse pour regarder le foot : « *C'est pas pour moi, c'est pour le petit, tu sais.* »

2. Pour la première fois de votre vie, vous aurez enfin quelqu'un que vous pourrez battre à la bagarre.

3. Vous n'avez jamais su quoi faire avec une Barbie dans les mains à part lui arracher la tête.

4. Vous n'aurez pas à lui mentir sur la vraie nature des mecs.

5. Quitte à le revoir 100 fois, vous préférez connaître *Toy Story* par cœur plutôt que *La Princesse et la Grenouille*.

6. Vous pourrez lui raconter des tonnes de souvenirs de foot ou de judo. Sur la danse classique moins, bizarrement.

7. Vous allez pouvoir réexpliquer tout *Star Wars* à quelqu'un que ça intéresse.

8. Vous préférez qu'il ait droit à 30 % de jouets en plus à la crèche à compétence égale. Pas de parité non plus chez gamins.

9. Ça vous évitera d'en faire absolument un deuxième pour avoir un petit mec.

10. Quand il sera plus grand, vous pourrez toujours régler un problème en lui disant « *allez, allez* » et en lui tapant dans le dos. Ou en lui proposant une bière. C'est plus simple.

17 PHRASES que vous entendrez immanquablement, avant

Vous venez de l'annoncer. Et juste après la grande accolade ou la claque dans le dos viennent les premiers commentaires. Acerbes. Mais gentils. Mais acerbes.

1. « Profite, hein ! »
2. « Va falloir que tu trouves un travail… »
3. « Va falloir que tu changes de voiture. »
4. « Va falloir que t'arrêtes tes conneries… »
5. « T'es sûr qu'il est de toi (ah, ah) ? »
6. « Bienvenue au club. »
7. « 9 mois d'emmerdes. Enfin 18 ans. Mais bravo. »
8. « Il était temps, dis donc. »
9. « Ça y est, elle a commencé à vomir ? »
10. « Vous allez déménager ? »
11. « Allez, c'est quoi le prénom ? »
12. « C'est pour quand ? Ah, ce sera un Verseau. C'est bien. C'est pas Lion, mais c'est bien. »
13. « T'as pas fini d'en chier, mon vieux… »
14. « Papa ? Toi ? »
15. « Vous avez tout ce qu'il vous faut ? »
16. « C'est un garçon, j'espère. »
17. « Félicitations. Et bon courage. »

13 TRUCS à savoir pour se dire que la grossesse, c'est que du bonheur mais surtout pour nous

Porter un enfant, c'est un don du ciel, on est d'accord. C'est beaucoup de plaisir, de joies, d'allégresse. Et c'est aussi une longue litanie de petits dérangements considérables. Quand on les connaît, on fait plus gaffe. Une grossesse, c'est aussi…

1. Des vertiges. Et pas seulement quand tu fais cuire une andouillette ou que tu ouvres ton sac de sport.

2. Des nausées. Matinales ou pas d'ailleurs.

3. Des hémorroïdes. Plein. Alors qu'une seule suffirait.

4. De nouveaux dégoûts. Du chat, de l'odeur de votre parfum.

5. Du diabète gestationnel. N'essayez pas un jeu de mot avec gestationnel. Même pas.

6. Encore des nausées. Voir plus haut.

7. Des envies de trucs, mais on ne sait pas exactement quoi. Fonctionne souvent en binôme avec une grande nervosité. Et donc une frustration. Et donc attention à vous.

8. L'impossibilité de se soigner avec le moindre médicament. Ah si, du Doliprane. Même pour le palu, oui.

9. De nouvelles peurs. D'avoir mal. D'avoir peur. D'être seule. De ne pas être à la hauteur.

10. Une grande fatigue. Une fatigue pour deux, mais dans un seul corps.

11. Des remarques désobligeantes au boulot, « *mais oh, c'est pour rire* ». Avant de ne pas retrouver le même travail qu'avant, tiens, mais « *oh, c'est pour rire aussi* ».

12. Un corps qui fait ce qu'il veut. C'est du moins l'impression qu'il donne.

13. Faire tout le temps pipi, même des fois quand elle ne veut pas, juste en toussant. C'était donc ça...

Une fois qu'on sait tout ça, on fait moins les malins les mecs.

9 FILMS à ne pas regarder juste avant une échographie pour commencer sereinement

Se rendre à la première échographie en toute confiance, c'est important. Alors s'éviter quelques films un brin stressants avant d'entendre un cœur qui bat très (très) vite, c'est mieux.

1. *Alien la résurrection* : forcément on cherchera des ressemblances.

2. *Rencontre du troisième type* : les premiers instants de communication, ça compte.

3. *Rosemary's Baby* : le monde est moins dangereux qu'on ne le dit.

4. *Damien, la malédiction* : ce qu'il pourrait devenir.

5. *Elephant* : ce qu'il pourrait devenir (part 2), en ayant mal grandi.

6. *La guerre est déclarée* : le pire n'est pas forcément à venir.

7. *Elephant Man* : et s'il est moche ce gosse ?

8. N'importe quel film catastrophe un peu stressant : optez plutôt pour *Plus belle la vie* en ce moment. OK, ça sonne faux, mais ça repose.

9. Le film de 3ᵉ qui fait peur à toutes les gamines, et même à vous, jeune père : *le* film sur le futur accouchement (oui, la suite logique après l'échographie) ne devrait pas forcément vous mettre en confiance.

11 PHRASES à éviter pendant une échographie

Quand on stresse à la première écho (ouais, après on dit « écho » pour les initiés), il nous arrive de dire n'importe quoi. Il y a certaines limites à ne pas dépasser : c'est mieux si vous voulez que madame vous permette encore de reconnaître l'enfant un peu plus tard.

1. *« J'ai peur. On y va ? »*
2. *« Il est pas en HD votre écran là, docteur ? Si ? C'est pas super net, hein ? »*
3. *« Je vais faire un procès à Durex direct. »*
4. *« Mouais... Je suis pas encore hyper convaincu. J'ai combien de jours pour me décider ? »*
5. *« Je suis garé en double file, je vous laisse gérer, d'accord ? Adieu. »*
6. *« Il a tes yeux. Et tes mains palmées. »*
7. *« Vous avez pas d'autres chaînes ? La TNT, c'est pas fait pour les chiens, docteur. »*
8. *« C'est pas une fille, hein ? Docteur, c'est pas une fille ? »*
9. *« Et là, il nous voit lui ? »*
10. *« Il a l'air hyperactif, non ? »*
11. *« Tout ça pour ça... »*

12 CHOSES à faire d'urgence si on vous apprend que ce sont des jumeaux

Avoir un enfant, c'est bien. En avoir 2 d'un coup, ça se discute. Une étude basée sur des centaines d'observations (enfin au moins 2 ou 3) vous donne quelques précieux conseils si on vous apprend d'un coup que vous allez être papa-papa.

1. Partir. Loin. Puis revenir, quand même, pour 2 bonnes raisons.

2. Paniquer, un peu. Se dire « *pourquoi moi* » en se cognant la tête pendant 4 minutes.

3. Retourner chez Ikea pour tout reprendre en double.

4. Acheter des actions chez Pampers en sachant que les ventes de couches vont exploser. Oui, c'est un délit d'initié, mais à la guerre comme à la guerre.

5. Reprendre la liste des prénoms que vous aviez jetée pour en trouver un deuxième.

6. Prendre rendez-vous avec son banquier. D'urgence. Commencer par ça, tiens.

7. Préparer un faire-part larmoyant dans lequel vous faites un appel aux dons au 36 39 à la fondation Vous-Même.

8. Relativiser : ça aurait pu être des triplés.

9. Tirer un trait sur les 3 années qui viennent et reporter toutes les prochaines soirées foot après la Coupe du monde 2016.

10. Se faire faire une vasectomie pour ne pas risquer un peu plus.

11. Positiver : vous n'aurez peut-être plus « à remettre ça » d'ici quelques années. Oui, c'est comme ça qu'on appelle le deuxième parfois.

12. Réaliser enfin que le cumul des mandats en politique, c'est effectivement n'importe quoi.

10 CHIFFRES insolites de la paternité

Être papa, c'est d'abord une expérience unique, c'est vrai. Mais c'est aussi un petit résumé statistique, une suite de petits chiffres qu'on retiendra après coup.

1. 332

Comme le nombre de SMS que vous envoyez 2 heures après l'accouchement pour annoncer la nouvelle. Soit 2 fois tout le répertoire de votre téléphone, pour être bien sûr que tout le monde le reçoive.

2. 0,5

Comme le nombre de rapports sexuels effectifs pendant les 4 premiers mois de grossesse.

3. 120

Comme le nombre de rapports sexuels espérés pendant les 4 premiers mois de grossesse.

4. 3

Comme le nombre d'heures que l'on arrive à dormir d'affilée les 3 premiers mois (pour les plus chanceux d'entre nous).

5. 18

Comme le nombre de fois où vous devrez trouver une pharmacie ouverte vers 23 heures pour racheter du Doliprane 1er âge.

6. 6437

Comme le nombre de photos plus ou moins bonnes que vous prendrez du petit la première semaine où il rentre à la maison. Dont 108 finiront sur Facebook.

7. 17

Comme le prix moyen en euros d'un paquet de couches, qui vous choque un peu plus chaque fois que vous en achetez.

8. 01 47 27 47 47. Ou le 15

Comme le numéro de téléphone de SOS Pédiatrie que vous avez décidé d'apprendre par cœur, au cas où. Eh non, vous n'êtes pas un papa flippé, vous dites que vous êtes prévoyant et que c'est pas pareil.

9. 12

Comme le nombre d'euros que vous mettez dans la boîte à insultes chaque jour, à chaque gros mot prononcé, et désormais interdit à la maison. Eh oui, « *bordel de merde* », ça compte 2 fois.

10. 2

Comme le nombre de fois où vous avez pensé que votre vie était mieux avant. Et où vous vous êtes senti hyper coupable de penser un truc pareil.

8 CHOSES à faire pour se débarrasser du chat
avant que le bébé arrive

Toxoplasmose, petites griffes acérées et regard fourbe. Le chat, au contraire de ce que voudrait nous faire croire la secte de ceux qui vénèrent les chats (la SCVC), n'est pas toujours le meilleur ami du nourrisson. Il y a donc quelqu'un de trop dans cette maison...

1. Expliquez-lui calmement, avec des mots simples, qu'il n'a plus sa place ici.

Si les chats sont aussi intelligents qu'on le dit, il ne devrait pas tarder à faire sa valise. Laissez-lui le collier (mais enlevez votre adresse) : donné, c'est donné, et on n'est pas des monstres.

2. Mettez-le en pension chez vos beaux-parents.

On sait bien que cette pension est définitive, mais rien ne sert de lui briser le cœur. D'autant qu'il sera mieux à la campagne.

3. Piéger un faux berceau avec une mine antipersonnel.

Les chats adorent se coucher dans les berceaux. NB : il est préférable d'utiliser cette solution définitive avant que l'enfant n'arrive.

4. Partez tout bonnement en vacances.

Et comme 60 000 personnes chaque année, abandonnez-le lâchement sur une aire d'autoroute en lui donnant 5 euros pour qu'il aille acheter des Twix. Être un bon père, c'est un sacerdoce.

5. Tournez une vidéo où il tombe d'une chaise en chantant du Lady Gaga et faites de lui une star sur Internet.
Entre les demandes d'interviews, les tournées, et la grosse tête qu'il devrait prendre, il ne devrait plus être souvent à la maison.

6. Foutez-le à la porte, mais laissez bien en évidence dans la litière une lettre écrite de sa patte, où il explique qu'il a dû s'exiler d'urgence, étant témoin essentiel d'une affaire en cours.
« *Coucou tout le monde* ! Méga-surprise : *je suis parti en urgence aux USA…* »

7. Achetez un chien, genre bête de combat.
OK, vous avez déplacé le problème. Mais on verra quoi faire du chien plus tard.

8. Refilez-le en douce à la « vieille aux chats », qui ne s'en rendra pas compte.
Renseignez-vous autour de vous, il y a toujours une vieille qui vit avec 17 chats pas très loin. Un de plus, un de moins…

12 BONNES RAISONS
de ne pas aller au cours d'accouchement avec elle

Ça n'a évidemment rien à voir avec la lâcheté, qu'est-ce que vous allez imaginer là...

1. Vous êtes toujours un peu gêné quand on vous demande de visualiser votre utérus.

2. Vous ne demandez pas à votre femme de faire la préparation au service militaire. On sait que ça n'existe plus depuis 1994, mais rien n'empêche d'être de mauvaise foi.

3. Vous n'êtes pas bricoleur et vous n'aimez pas connaître les détails techniques.

4. Si on parle de « sage-femme », c'est bien qu'il y a une raison : vous n'avez rien à faire là.

5. Les matchs amicaux très peu pour vous, rien ne remplace la compétition.

6. Vous ne simulez pas, jamais, même sur demande.

7. Vous aviez prévu d'utiliser un joker pendant ces 9 mois, c'est maintenant.

8. Vous pensez que lire *L'Équipe* en plein cours, ça risque d'être mal perçu.

9. Vous vous sentez un peu coupable : tout ça, c'est un peu votre faute.

10. Vous n'êtes toujours pas persuadé d'être le père.

11. Vous ne prévoyez pas d'accoucher en fait.

12. Y'en a qui bossent pour payer la chambre individuelle avec Canal+ à la clinique.

10 INTENTIONS pourtant délicieuses mais à éviter pour un dîner surprise aux chandelles

*L'intention était bonne. Mais quand madame va devenir maman, on devient sélectif et on ne fonde pas son repas sur les dernières créations vues la veille sur MasterChef. Il y a maintenant une petite liste de « **touche pas à ça, t'es gentille** ».*

1. Une douzaine d'huîtres fines de claires d'Oléron. Même 6 d'ailleurs.

2. Un petit tartare de bœuf maison avec câpres et huile d'olive au basilic. Non, le problème, c'est pas le basilic.

3. 8 sushis thon et saumon. En gros, tous les menus japonais qui commencent par une lettre (B1, M3…).

4. Farandole de charcuterie corse. Ou pas corse. On n'a rien contre les trucs qui viennent des îles d'ailleurs. Plutôt contre le cochon.

5. Une grosse pièce de bœuf saignante cuite à cœur avec du gros sel. Elle y aurait presque droit, mais depuis quelques semaines l'odeur la dégoûte. Arf…

6. Un foie gras poêlé aux pommes. Ou aux poires. L'oie, c'est le mal.

7. Un filet d'espadon grillé à la sauce tomate épicée et à la coriandre. Bonne nouvelle, l'espadon, vous n'en mangiez jamais de toute façon. Mais quand même.

8. Un plateau de fromages auvergnats (bleu, mont-d'or, salers...). Oubliez 99 % des autres fromages du reste de la France aussi. Vous me direz, il reste toujours le Saint-Môret.

9. Une salade qui ne sortirait pas d'un sac plastique Bonduelle.

10. Enfin n'arrosez rien de tout ça avec un bon verre de châteauneuf-du-pape.

Oui, quand on est papa, pendant 9 mois, à table, on s'emmerde un peu.

10 PRÉNOMS connotés par l'Histoire,
qu'on évitera de donner à son gosse

Au début, ça sonnait bien, c'était joli, « oh, il est mignon » qu'on disait. Et puis l'histoire avec un grand H est passée par là. Et depuis, on en voit un certain nombre qui font la queue devant les préfectures pour demander les formulaires B624 afin de changer de prénom. Va trouver un boulot toi maintenant sans que ton futur patron te regarde avec un grand sourire. Il fallait pas s'appeler…

1. **Adolf**
   Dit comme ça, c'était pas si atroce, mais honnêtement ça va être compliqué. Si vous ne changez pas d'avis, tant pis, mais surtout laissez-le se mettre à la peinture.

2. **Benito**
   Essayez plutôt Giovanni, ou Enzo pour faire tendance ? Et évitez les chemises sombres.

3. **Judas**
   La confiance, ça se mérite.

4. **Saddam**
   Ou Hussein. Ou alors si et seulement si l'enfant naît avec une moustache.

5. **Augusto**
   Si votre enfant garde jalousement ses médailles de judo et torture son hamster, c'est trop tard. Un prénom, ça a une histoire.

6. Mao

C'est joli, c'est court, on dirait Léo, et pourtant...

7. Oussama

Ça risque d'être un peu long chaque fois à la douane. Et puis jouer à se cacher tout le temps, c'est pénible.

8. Jean-Marie

La nouvelle génération aura oublié peut-être, mais la nôtre un peu moins. Facilitez-lui la vie.

9. Harald

Séville, 1982, Schumacher rentre en action et explose la mâchoire de Battiston. En général, avec un prénom allemand, il y aura toujours un grand-père pour vous rappeler les tickets de rationnement.

10. Carlos

Il y a eu le terroriste célèbre, mais beaucoup ont oublié. Par contre, le chanteur aux chemises à fleurs et avec du bide, ça reste.

10 CHOSES surprenantes, mais
bien utiles quand même, sur une liste de naissance

Fini les 25 bodys trop grands ou trop petits,
les 12 peluches « tu-verras-ça-sera-son-doudou », les
3 babycooks, et les « je-t'achèterai-un-truc-plus-tard-tu-dois-
déjà-avoir-tout-ce-qu'il-faut » : soyez inventifs sur votre liste
de naissance, et pensez d'abord à vous, les parents.

1. Un thermomètre (mais pour le vin)

2. Un écran LCD 22 pouces (pour regarder les photos en grand)

3. Un appareil photo reflex avec un objectif qui tue sa race (pour prendre les photos qu'on regardera en grand plus tard)

4. Un sextoy (pour faire chier mamie un peu plus croyante d'année en année)

5. Un voyage à Rome (pour s'en remettre)

6. Un abonnement à Adopteunmec.com (pour changer, un peu)

7. Un jacuzzi (pour baigner le petit, bien sûr)

8. Un monospace (pour aller voir les mamies, tu comprends*)

9. Un test ADN (pour être sûr)

10. Une paire de Nike Air Jordan Édition Limitée en 43 (pour que le petit soit fier de son papa)

---

* L'info utile : n'importe quel objet/dépense qui « servira à venir voir les mamies plus souvent » sera généralement acheté dans les 3 semaines qui suivent, par les mêmes mamies.

---

10 ÉQUIVALENTS masculins aux
contractions féminines, pour mieux comprendre

La femme est un mystère, on est d'accord.
Et ça ne s'arrange pas pendant la grossesse : la sensation de porter un enfant nous restera à jamais inconnue. Tristesse. Par contre, celle d'avoir des contractions aussi du coup. Joie. Pour faire dans le concret, avoir une contraction pour nous, ça serait un peu un mélange de tout ça…

1. **Regarder un match de foot Troyes-Valenciennes en entier.**
   C'est long.

2. **Recevoir une invitation de son meilleur ami à un concert privé de Céline Dion.**
   C'est surprenant et incroyablement douloureux.

3. **Avoir une torsion testiculaire.**
   C'est une sensation nouvelle et pourtant on a déjà envie que ça ne revienne jamais.

4. **Prendre un coup de pied dans les couilles en plein match de foot avec des potes.**
   Une douleur que le sexe opposé ne peut pas comprendre.
   Supporter un lendemain de cuite au vin blanc.
   Se dire qu'on ne recommencera jamais ce qui nous a mis dans cet état.

5. **Devoir faire comprendre le hors-jeu à son petit neveu.**
   C'est un truc impossible à expliquer.

6. Répondre « oui bien sûr » alors qu'on pense « non ».
C'est récurrent, c'est emmerdant, mais on n'y peut rien, faut faire avec.

7. Se couper avec une enveloppe.
C'est pareil, mais 2 ou 3 fois pire niveau douleur. Carrément oui.

8. S'entendre annoncer : « Bravo, ça fait aujourd'hui 15 ans que t'es dans la boîte ».
On a beau s'y attendre un jour, ça fait toujours un choc.

9. Payer l'addition au restaurant le premier soir.
C'est pas le meilleur moment, mais on sait que ça annonce un truc sympa dans pas longtemps si tout va bien. Qui pourrait même changer ta vie, tu le sens.

9 MOIS pour devenir papa, la petite histoire

S'il faut 9 mois pour faire un enfant (et 9 autres pour s'y habituer), il y a bien une raison.
Ou même deux.
1/ Le laisser grandir.
2/ Et pour vous, vous faire à cette idée que votre vie va changer.
Des fois, ça prend du temps.

Mois 1

Vous venez de l'apprendre en rentrant tard du boulot. Le coup est rude mais vous saviez que ça devait arriver. Vous avez voulu le dire à tout le monde avant d'essuyer une première fois les foudres de madame. On attendra donc quelques semaines de plus. Vous ne réalisez pas vraiment davantage, d'autant que le classico OM-PSG approche, vous avez d'autres soucis.

Mois 2

Vous percevez que madame a une légère tendance à se regarder le ventre dans la glace en remontant son T-shirt et vous ne réalisez pas toujours immédiatement pourquoi. Vous lui avez même proposé un apéritif au champagne oubliant le petit Alien qu'elle porte déjà. Pour elle c'est très concret, pour vous c'est surtout une pile de nouveaux catalogues de poussettes qui traînent dans le salon.

Mois 3

Vous avez noté soigneusement et un peu nerveusement la date de l'échographie. Quelques collègues vous demandent si ça va parce qu'on ne dirait pas. Le jour J, vous vous remettez à fumer quelques heures. Tout va bien, il a dit. Alors vous aussi, vous le dites à tout le monde, avec différents scenarii. C'est le champagne avant la tempête.

Mois 4

Vous devenez progressivement un peu ayatollah des restrictions alimentaires et vous savez détecter le lait cru à des kilomètres. On ne déconne pas avec ça. Vous découvrez aussi une vie sexuelle très largement compatible avec une grossesse, et bien plus encore. Un peu à l'image du bonnet de soutien-gorge de madame, qui ouvre aussi de nouvelles perspectives et devient quasi mythique.

Mois 5

C'est un garçon, vous êtes ravi. C'est une fille, vous êtes aux anges. En fait vous voulez être papa, c'est tout. Vous entrez doucement dans la zone de bataille du prénom, de celui qui sera trop machin et l'autre qui vous rappelle quelqu'un que vous n'aimez pas. Vous ressentez peu à peu une légère mais insistante pression de madame pour « *faire de ce bureau une chambre d'enfant, bordel* » (sic).

Mois 6

Vous essayez de la rassurer quand elle croit être une petite baleine, vous lui dites que de toute façon vous adorez les poissons ; elle vous répond que c'est un mammifère, imbécile. Vous trouvez que 9 mois, c'est long. Vous ne ratez pas le premier cours d'accouchement, mais vous êtes en retard et 12 femmes en train de visualiser leur utérus vous dévisagent. Alors vous faites le chien, en bon élève, voilà soufflez.

Mois 7

Vous avez perdu la bataille du prénom, mais c'est beau quand même, voire bien mieux que celui que vous aviez choisi (mais vous ne le direz pas). Vous sentez bien que le nid se referme, vous êtes même allé acheter la peinture. Sur sa demande, vous faites un test dans l'escalier avec un sac à dos de 10 kilos sur le ventre. Vous trouvez donc qu'être « enceint », ça fait surtout mal au dos. Bizarrement, le match retour du classico OM-PSG vous passionne beaucoup moins. Disons que vous avez d'autres préoccupations.

Mois 8

Vous dormez un peu moins ces derniers temps. C'est bizarre parce que vous n'êtes pas du tout stressé : « *Oh, moi, la grossesse…* » La chambre est finie, mais vous pensez que pour le deuxième vous ferez autrement. Ça vous effraie d'avoir pensé au deuxième. Vous vous découvrez capable de faire des petits rites conjuratoires pour que tout aille bien. Le GPS dans la voiture a le chemin de l'hôpital mémorisé 2 fois, même si vous connaissez déjà le chemin. Hier il a bougé quand vous avez posé vos mains. C'est dingue ce truc.

Mois 9

Beaucoup de gens vous demandent « *alors* ? » et vous répondez « *pas encore* ». Vous faites un premier aller et retour à l'hôpital pour rien. Vous réalisez brutalement qu'être une femme dans ces moments-là, c'est énorme, gigantesque. Quelques jours plus tard, une sage-femme vous demande s'« *il est heureux le papa* ». Vous mettez 2 petites secondes à réaliser que c'est à vous qu'elle parle. Alors vous sortez dehors essuyer quelques larmes, parce que vous êtes un vrai bonhomme. Vous prononcez les mots « *grand-père* » et « *grand-mère* » au téléphone, des trémolos dans la voix. Mais vous raccrochez parce que là-haut, dans la chambre, ils vous manquent déjà. Alors dans l'ascenseur, face au miroir, vous vous murmurez à vous-même « *je suis papa* ». La vie est belle.

10 TRUCS essentiels dans la valise de paternité (et pourquoi pas ?)

Dans le dernier mois, on se prépare donc à courir au plus vite vers la maternité la plus proche, la valise (ou le trousseau) pour maman et le bébé en main. Mais pour nous ? Rien. Pas de valise, pas de T-shirt de rechange, pas de culotte filet.

Instaurons donc la valise de paternité : l'égalité, c'est maintenant.

1. **Un body « je préfère papa » pour le petit :**
   c'est dans les premières minutes qu'il faut s'imposer.

2. **Des trucs à remplir qu'on ne fait que quand on est coincé quelque part :**
   comme une déclaration de revenus par exemple.

3. **Un passeport et du cash en liquide :**
   au cas où vous changeriez d'avis.

4. **Un tuba et des palmes :**
   une valise c'est pour les vacances, oui ou non ? Assumez votre credo de papa humoriste.

5. **Un docteur Maboul :**
   réviser le dernier jour c'est mal, mais on le fait tous.

6. **Un Opinel :**
   pour couper le cordon, forcément.

7. Une blouse de docteur :
pour aller au bout du fantasme de l'infirmière.

8. Guerre et Paix :
24 heures à l'hôpital, ça peut paraître très long quand on a déjà lu les pages « voiles » de L'Équipe.

9. Un chargeur de téléphone :
qui c'est qui doit s'y coller pour appeler tout le monde et annoncer la bonne nouvelle ? C'est bibi ! Les corvées, c'est toujours pour les hommes.

10. Une boîte de mouchoirs :
parce qu'on fait les malins comme ça, mais il y a un cœur qui bat derrière ce corps d'athlète.

VOUS ET L'ARRIVÉE DE L'ENFANT ROI

11 BONNES MANIÈRES
de ne pas tomber dans les pommes pendant l'accouchement

L'arrivée finale du petit, c'est une épreuve d'abord pour madame. Mais l'Homme avec un grand H n'est pas en reste devant ce spectacle incroyable, et se doit de tenir son rang. Soyez forts, messieurs. 11 techniques maison pour tenir le coup.

1. Se dire que ce n'est pas vous qui accouchez.

2. Fredonner la musique de Rocky *The Eye of the Tiger*.

3. Se rappeler qu'au fond de vous, vous êtes persuadé d'être un Jedi et utiliser le pouvoir de la Force.

4. Vous l'avez promis à madame et vous tenez toujours vos promesses.

5. Se dire que ce n'est pas forcément la première image que vous voulez laisser de vous à votre enfant.

6. Sortir son téléphone pour jouer à Angry Birds. C'est ça, changez de sujet.

7. Ne pas penser au film sur l'accouchement vu en cours de biologie en 3ᵉ.

8. Ne pas prendre les insultes de madame au pied de la lettre, ça peut surprendre.

9. Ne pas écouter les détails techniques de l'obstétricien, ça impressionne.

10. Rester du bon côté de la table d'accouchement. Surtout.

11. Ne pas venir. 100 % de réussite.

TOP 10 des réactions quand
vous découvrez la petite merveille

Après quelques dizaines de minutes d'efforts intenses pendant lesquelles vous avez ressenti une profonde inutilité mais où vous avez aussi poussé comme un malade, respiré très fort, et crié un peu, le petit bout de truc est là, à l'air libre, vociférant. À ce moment-là, pas d'inquiétude, on ressent tous...

1. **Un peu de panique**
   « Je suis papa... Je suis pas prêt... J'aurais dû réviser»

2. **Un peu de dégoût**
   Vous n'aviez pas signé pour un petit bout de gras hurlant, recouvert d'un liquide blanchâtre. Y'avait pas ça dans les livres.

3. **Un léger tiraillement entre une furieuse envie d'être ici et celle d'aller faire un tiercé, ou d'aller acheter des sacs d'aspirateur**
   Etre responsable, tout d'un coup, ça peut être un peu effrayant.

4. **Un peu l'impression d'avoir été pris pour un jambon**
   Ce gamin ne vous ressemble absolument pas. Cette chevelure abondante mais grasse, ces yeux de boxeur, ce nez un peu épaté, ces cuisses de piliers de rugby... Il va falloir qu'on parle, chérie...

5. Une profonde admiration pour le fait d'être une femme

Vous ne rigolerez plus jamais à ces blagues sur les créneaux ratés. Vous savez que madame vient de mettre tout le monde d'accord avec ce qu'elle vient d'accomplir. Dommage que ce sentiment ne dure pas toujours.

6. Une légère faiblesse des glandes lacrymales

Vous êtes pourtant un grand bonhomme costaud. Qui ne contrôle plus grand-chose.

7. Une petite fierté, discrète mais bien réelle, d'avoir coupé le cordon sans broncher

Certes vous n'avez pas vraiment eu le temps de réfléchir quand on vous a tendu la pince, mais vous l'avez fait, comme un grand.

8. L'envie de vous féliciter d'avoir pensé à faire une liste quelques jours avant

1/ Ne pas oublier l'appareil photo. 2/ Recharger l'appareil photo. 3/ Virer les photos de vacances d'il y a 2 ans de la carte mémoire.

9. La sensation qu'il y a quelques minutes seulement, c'était votre vie d'« avant »

Et qu'elle est déjà très loin. Vous ne lui avez encore rien dit, vous ne l'avez pas encore pris dans vos bras, mais il a déjà tout changé.

10. La furieuse envie que ce moment hors du temps ne s'arrête jamais

Que cette bulle familiale n'en finisse pas de durer. Elle + ce bébé + vous, seuls au monde. La famille, en vrai.

11 SUBTERFUGES pour ne plus jamais
changer une couche

Certains pères se contentent de dire que ce n'est pas leur truc, ouvrant la porte à d'intenses discussions houleuses. Soyez plus radical et inventif.

1. Mettre les premières couches à l'envers, et faire reconnaître votre incapacité technique par un huissier.

2. Tomber dans les pommes, une fois, en ouvrant la couche. Chaque homme a ses failles.

3. Pincer le petit pour le faire pleurer les 2-3 premières fois et en conclure avec la maman qu'il est préférable que ce soit elle qui s'y colle.

4. Placer l'enfant jusqu'à 3 ans. Pensez tout de même à donner des nouvelles régulièrement, voire à rendre quelques visites. Le récupérer quand il est définitivement propre en lui expliquant qu'il a franchi un cap important dans votre relation.

5. Ne pas reconnaître l'enfant. C'est un peu radical, mais très efficace.

6. Voyager. Beaucoup. Vraiment beaucoup.Passer un deal avec la maman pour contractualiser la situation. Soyez généreux dans la négociation.

7. Prétexter quelques allergies : aux lingettes, au liniment, à Pampers...

8. Plonger les deux mains dans l'acide. Vous ne toucherez plus une couche. Plus jamais.

9. Militer pour la méthode dite de « l'enfant sauvage », qui vit nu et apprend à faire ses besoins dans un coin reculé de la maison.

10. Lui acheter une litière. Penser à mettre du papier journal autour pour les ratés des premières fois.

10 TRUCS à ne pas lui dire en essayant de la
motiver maladroitement pendant l'accouchement

Vouloir l'aider parce que vous vous sentez un peu inutile pendant qu'elle pousse comme une dingue, ça part d'une bonne intention. Mais il y a quelques phrases à éviter.

1. *« Allez, des millions de femmes l'ont fait avant toi. »*

2. *« Ma mère m'a dit que c'était pas si compliqué que ça en fait. »*

3. *« Tu m'écoutes, ou quoi ?* (Au docteur : *elle m'écoute jamais.) Pousse. »*

4. (En sautillant) *« Qui ne pousse pas n'est pas une femme, ouais, qui ne pousse pas n'est pas une femme... »*

5. *« Si t'écoutes pas, je coupe pas le cordon et je me tire moi. Souffle, on te dit. »*

6. *« Attends, t'es floue, on la refait. Maintenant, donne tout. »*

7. *« Si tu fais ça bien, j'arrête de regarder le foot. »*

8. *« Connasse. Tu m'insultes, moi aussi. »*

9. *« Allez, tout le monde regarde là, nous fais pas honte. »*

10. *« Dépêche-toi, je crois qu'il y a du monde derrière nous. »*

10 PHRASES à dire à sa belle-mère pour qu'elle ne reste pas les premiers jours

Le divin enfant est de retour à la maison avec la reine mère. Vous allez enfin pouvoir vous retrouver en famille, tous les trois, et cocooner à n'en plus finir. C'est évidemment sans compter sur les conseils avisés et répétés de belle-maman qui tarde à rentrer chez elle, loin. Soyez ferme.

1. *« A priori, la jaunisse du petit, finalement c'est hyper contagieux. »*

2. *« Votre fille m'a dit de vous dire que ça serait mieux que vous partiez. Moi aussi, j'étais hyper choqué, mais bon, c'est son choix. »*

3. *« Allez, je vous ramène. Loin. On prendra vos affaires plus tard. »*

4. *« Ça vous gêne pas si je vous appelle tout le temps "grand-mère" ? Ou "mamie", ouais "mamie". »*

5. *« Ça doit faire du bien après tout ça de se retrouver chez soi, en famille. Hein ? Hein ? »*

6. *« Si vous ne partez pas, je quitte votre fille. Et si vous parlez de cette conversation, je la quitte aussi. »*

7. *« À vous voir traîner ici tout le temps, je sens monter une certaine tension sexuelle entre nous, non ? »*

8. *« Tiens, c'est marrant, Dolto dit que "la grand-mère peut se révéler nuisible au développement de l'enfant si elle est omniprésente". Une sacrée bonne femme la Françoise, hein. »*

9. « *Je vais vous faire une offre que vous ne pourrez pas refuser… vous avez 10 minutes pour quitter la ville.* »

10. « *Gardez quand même un couteau sous votre oreiller, on ne sait jamais, je suis somnambule. Bonne nuit.* »

(Bonus) « *Je ne vous aime pas. Fallait que ça sorte.* »

Tu veux savoir si ça fait vraiment mal l'accouchement ?
ENVOIE GRANDCOUPDEPIEDDANSLESCOUILLES AU 6 11 11.

11 BONNES RAISONS
de prendre une jeune fille au pair, suédoise en plus

Vous avez réussi à convaincre votre femme que c'était le bon choix à faire que de recevoir une jeune fille sous votre toit. Il s'agit maintenant de choisir son pedigree, ce qui n'est pas une mince affaire. On vous le dit tout net, allez vers le plus évident : Stockholm est une ville magnifique à visiter.

1. Vous avez un penchant pour les clichés hyper assumé.

2. Vous adorez les krisprolls. C'est un peu léger, mais c'est bien d'avoir des bases de la culture locale. Et vous ne demandez qu'à apprendre.

3. Vous n'avez eu que des garçons, une fille à la maison c'est toujours sympathique.

4. Vous avez une chambre d'amis, mais finalement peu d'amis.

5. Vous voulez régler le problème de la nounou et de la baby-sitter pour le soir en une seule fois.

6. Vous avez toujours rêvé de savoir dire : « *Et vous avez une sœur plus âgée à Stockholm ?* » en suédois.

7. Une fille au pair est susceptible de recevoir des visites d'amies, suédoises aussi.

8. Vous avez toujours voulu vous mettre au biathlon, sans jamais franchir le pas. Inga vous y aidera.

9. Vous participez activement à la survie de l'espèce en voie de disparition des blonds et des blondes, condamnés à disparaître à moyen terme selon une étude récente.

10. C'est moins exotique qu'une nounou japonaise, mais plus crédible quand elle dit qu'elle part au pays pour le week-end.

11. Vous prononcerez enfin correctement le nom des meubles Ikea. On dit une lampe « *Knoplsförts* », pas « *Klnüplsforts* ».

20 PHRASES que vous entendrez
à coup sûr après

*Vous pensiez que « **pas vous** ». Que vous passeriez à travers les gouttes. Et puis non finalement, comme tout le monde, vous allez devoir subir les phrases qui suivent une à une. Et sourire. Ou souffler. Ou buter un de ceux qui la sortira.*

1. *« C'est les yeux de son père. »*

2. *« C'est les yeux de sa mère. »*

3. *« Il ressemble aux deux, c'est dingue. »*

4. *« Vous ne devriez pas le laisser vous parler comme ça. »*

5. *« Vous ne lui faites pas faire la sieste là ? »*

6. *« Il est pas bio votre lait ? »*

7. *« Vous ne l'avez pas allaité... Ah bon ? »*

8. *« Il a trop chaud cet enfant. »*

9. *« Laissez-le pleurer un peu, ça lui fait les poumons. »*

10. *« Moi, je ferais pas comme ça. »*

11. *« Donnez-lui des épinards... »*

12. *« Moi, de mon temps... »*

13. *« Il fait pas encore ses nuits ? Quel âge il a ? »*

14. *« Profitez, quand il marchera... »*

15. « *Vous ne lui donnez pas trop là ? »*

16. « *Il fait ses dents, c'est rien. »*

17. « *Vous le couvez trop, laissez-le tomber une fois. »*

18. « *Il aura un sacré caractère. »*

19. « *Tout petit, tu étais pareil. »*

20. « *Vous devriez l'emmener voir "quelqu'un". »*

10 BERCEUSES à éviter pour
des nuits plus tranquilles

La petite musique avant de dormir deviendra un des petits rituels du coucher. Essayez juste de ne pas taper à côté avec un truc un peu trop excité pour des oreilles encore en formation.

1. Trust - *Antisocial*
2. NTM - *Mais qu'est-ce qu'on attend pour foutre le feu*
3. Rammstein - *Du hast*
4. Les Chœurs de l'Armée rouge - Le « very best-of »
5. Rage Against the Machine - *Killing in the Name of*
6. Prodigy - *Smack my Bitch up*
7. ACDC - *Highway to Hell*
8. Nirvana - *Smells Like Teen Spirit*
9. Renée la Taupe - *Mignon Mignon*
10. N'importe quel groupe de métal norvégien un peu énervé

10 RAISONS de préférer une fille
au pair à sa belle-mère

Savoir se faire aider pour l'éducation de son enfant, c'est essentiel. Mais l'important justement, c'est de bien choisir stratégiquement son aide de camp. Et même si le choix de la jeunesse coule de source, il est bon de se rappeler pourquoi.

1. L'une des deux ne sent pas la naphtaline.

2. Vous avez toujours rêvé d'apprendre une langue étrangère, voire nordique. Beaucoup moins le vieux français.

3. Vous avez toujours été prêt à sortir un petit paquet de tunes pour éloigner votre belle-mère, et une baby-sitter reste moins chère que des tueurs à gage.

4. L'une des deux est un fantasme socialement accepté.

5. Vous faites d'une pierre deux coups en remplissant la chambre d'amis et en empêchant les visites prolongées de belle-maman pour le week-end.

6. Vous recevrez une aide des impôts pour accueillir chez vous une jeune fille fragile.

7. Votre belle-mère est picarde, pas suédoise.

8. Si elle vous emmerde, vous pourrez toujours la virer. Essayez un peu avec mamie, juste pour voir.

9. Quitte à ce que l'enfant s'attache, autant que ça soit avec celle dont l'espérance de vie est la plus longue.

10. Prononcez cette alternative à voix haute, ça devrait vous suffire à faire le bon choix. Sinon essayez encore.

10 RAISONS de penser que vous ne ferez plus jamais l'amour avec votre femme

Il est né le divin enfant. « Sonnez hautbois, résonnez musettes » peut-être, mais question sexe, son arrivée ne présume rien de bon.

1. **Vous avez peur qu'elle vous parle du gamin en même temps.**
   « C'est bon hein ? - Ouais mais il a pris que 110 au biberon de 6 heures… »

2. **Vous avez pris plus de plaisir sur Youporn en 9 mois qu'avec elle en 9 ans.**
   Fallait pas qu'elle vous force à commencer.

3. **Vous n'aimez pas être pressé.**
   10 minutes de battement entre le biberon, les couches et les pleurs, c'est trop peu pour monter en pression.

4. **Dès que vous vous allongez, vous dormez.**
   Ce petit salaud aura donc le dernier mot.

5. **Vous avez trop peur d'en faire un deuxième.**
   Un homme averti en vaut deux.

6. **Vous avez furtivement passé la tête du mauvais côté en salle d'accouchement.**
   Quand lui aussi sortait la sienne.

7. **Vous avez peur de l'appeler « *maman* » en pleine action.**
   Et qu'elle vous appelle « *papa* » en retour.

8. **Vous trouvez qu'il y a plus sexy qu'un soutien-gorge d'allaitement.**

Quoique ces bonnets qui s'ouvrent par-devant augmentent un peu le champ des possibles.

9. **Vous avez encore en tête les insultes de la salle d'accouchement.**

« C'est de ta faute tout ça, connard. »

10. **Vous savez qu'elle vous en veut de ne pas avoir reconnu l'enfant.**

Elle a toujours été susceptible de toute manière.

10 PERSONNES (et 2 bonus)

que vous aurez envie de buter au début, mais c'est normal

Être papa, c'est ouvrir des portes à de nouvelles émotions. Et bizarrement, certaines peuvent surprendre un peu.

1. Le médecin qui dit « *ah...* » en fronçant les sourcils pendant l'échographie sans en dire plus.

2. La mamie dans la rue qui le touche sur la joue avec ses doigts sales en disant qu'il est mignon et qui en plus se goure de sexe la plupart du temps.

3. Le premier kiné qui donnera l'impression d'étouffer votre gamin pendant la kiné respiratoire pour sa bronchiolite.

4. Votre grand-mère et ses conseils d'après-guerre de « quand-on-mangeait-ce-qu'on-avait-et-qu'on-était-bien-content ».

5. Votre belle-mère quand elle parle à sa fille devant vous de l'éducation du petit en disant « *tu feras comme tu veux, ma chérie, c'est ton enfant* », comme si vous n'existiez pas.

6. Votre propre mère et ses conseils récurrents parce qu'à l'époque « *on ne faisait pas ça, mais je dis ça, je ne dis rien. Mais on ne faisait pas comme ça* ».

7. Le pote qui vous appelle pour vous dire « *putain, t'aurais dû venir au concert, écoute ça, c'est génial* », alors qu'il sait que vous êtes « de garde » ce soir.

8. Votre propre gosse et ses cris perçants depuis 34 minutes (vous avez regardé sur votre téléphone) et qui vous fait sentir coupable d'avoir eu cette pensée ne serait-ce qu'un dixième de seconde.

9. L'inconnu qui, au cours, d'une soirée touche spontanément le ventre arrondi de votre femme.

10. Le même inconnu dans une autre soirée quelques mois plus tard, qui vous dit « *tu t'inquiètes pour rien* » quand vous lui avouez que votre fils est un peu malade ce soir. Et qui vous répond qu'il n'a pas d'enfant et qu'il faut sourire à la vie, enfin.

(Bonus 1) La mère de votre enfant. Non, ce soir vous ne dites pas « *ma femme* » parce qu'elle vous gave un peu trop avec ses obsessions d'hygiène, de « *tout doit être prêt* », de « *t'as appelé la mutuelle ?* », de « *j'ai trop chaud, tu te pousses ?* » Vous souriez, mais on voit que vous en avez moyennement envie.

(Bonus 2) Vous. Des fois, ça serait plus simple que d'être papa. Mais ça ne dure pas (trop).

10 SOLUTIONS alternatives
pour avoir une place en crèche

Jeune papa ou en passe de l'être, vous savez désormais qu'il y a 3 choses plus que délicates à obtenir dans la vie : les numéros de l'EuroMillions de la veille, le téléphone de Scarlett Johansson et une place en crèche.
Désolé, mais on ne peut rien pour vous pour les 2 premiers.

1. **Avoir un appartement dans tous les quartiers / arrondissements de votre ville.**
   Multiplier ses chances, c'est important (niveau de réussite : 8 %).

2. **Inscrire votre enfant avant même d'avoir rencontré votre femme.**
   Ou même avant la grande soirée où vous avez prévu d'attaquer sec. Enfance rime avec prévoyance (niveau de réussite : 92 %).

3. **Monter sa propre crèche parentale.**
   Mettre les moyens qu'il faut pour convaincre quelques amis avec enfants de vous rejoindre (niveau de réussite : 30 %).

4. **Choisir un nouveau boulot en fonction de la crèche d'entreprise.**
   Une carrière de papa, ça se prépare (niveau de réussite : 14 %).

5. Tenter une prise d'otage à la mairie.
La réussir même, c'est mieux (niveau de réussite : 2 %, mais un peu chaud).

6. Prendre la nationalité qatarie et racheter la crèche.
Et le square à côté, à ce prix-là, c'est cadeau (niveau de réussite : 78 %).

7. Coucher, autant qu'il le faudra.
On n'a jamais dit que ça serait facile d'être parent (niveau de réussite : 99 %).

8. Faire un odieux chantage au responsable de la petite enfance de la mairie.
On a tous quelque chose à cacher... (niveau de réussite : 8 %).

9. Militer pour un système de tirage au sort comme pour la carte verte aux États-Unis.
Ça sera toujours plus clair que les attributions actuelles (niveau de réussite : 7 %).

10. Balancer quelques rumeurs salaces sur le web concernant la crèche en bas de chez vous.
Pour faire de la place... (niveau de réussite : 8 %).

10 MOTS que tu apprendras sans même t'en rendre compte

Élever un enfant, c'est aussi défricher des terres que vous ne connaissiez pas encore. En vous levant à 4 heures du matin pour changer une couche la tronche dans le brouillard, dites-vous que vous apprenez des trucs.

1. Liniment

Avant vous ne saviez même pas l'écrire. Maintenant vous savez que ce liquide visqueux nettoie tout et laisse des fesses magnifiques à votre enfant. Une sorte de produit miracle.

2. Méconium

Ou le caca des premiers jours. Si vous n'aviez jamais vu d'image du pétrole de l'*Erika* sur les plages bretonnes, voilà ce que ça donnerait dans une couche.

3. Haptonomie

Ou comment entrer en contact avec votre enfant avant qu'il ne sorte. Si vous jouez au mime Marceau sur le ventre de madame, le petit à l'intérieur a quelques chances de vous répondre, pour peu qu'on s'y prenne bien. Magique.

4. Périnée

Ne faites pas les malins en parlant d'un os de la jambe. Ça, c'est le péronée. L'autre avec un *i*, vous aussi messieurs, vous en avez un, mais vous ne le saviez pas. C'est une sorte de petit filet que madame entraîne comme un biceps avec des séances de stop-pipi avant, et après avec un « coach ». Maintenant, vous savez.

5. Croûtes de lait

Rien à voir avec la peau qui se forme dans votre bol de lait et qui vous dégoûte un peu. Nan, là c'est mieux, c'est sur la tête de bébé et c'est un peu comme d'énormes pellicules sur le crâne qui seraient là pendant des mois. C'est sûr que dit comme ça...

6. Épisiotomie

Puisque c'est une des grandes craintes de madame avant l'accouchement, autant que vous ne fassiez pas "*hein* ?" quand elle vous en parle. C'est elle qui risque en effet une petite incision pour que le bébé puisse sortir plus facilement. Après ça, si vous vous coupez avec une enveloppe, on vous conseille de rester tranquille et de ne pas vous plaindre.

7. Lit-parapluie

À première vue un produit qui a l'air funky parce qu'un peu intrigant et avec plusieurs usages. En fait l'autre nom d'un lit d'appoint pliable qui pèse le poids d'un âne mort et qui prend toute la place dans le coffre. Décevant, hein ?

8. Érythème (fessier)

Quand on devient parent, on ne parle plus simplement de « *fesses rouges* », non monsieur, on utilise des mots scientifiques qui sonnent grec, ça fait plus « *ouais, j'en suis aussi et je sais de quoi je parle* ». Après, comme les novices qui ne parlent pas grec, on met la même crème pour calmer tout ça. Mais ça fait classe.

9. Turbulette

Sorte de petit sac de couchage avec des trous pour les bras, qui évite que l'enfant finisse au fond du lit sous la couverture qu'il remplace. Nos mères disaient « gigoteuse ». Nos pères, eux, ils s'en foutaient.

10. Babycook

Sorte de petit robot mixeur qui vous sauve la vie pour préparer rapidos les repas du petit monstre et vous donne bonne conscience en vous assurant qu'il mange bien. Même si vous mettez dedans des fruits et des légumes qui sentent bon le pesticide, vous aurez l'impression de faire des menus « maison ».

16 CHOSES que vous seriez prêt
à faire pour qu'il fasse toutes ses dents en une fois

Une dent pour qu'elle sorte, il faut un petit trou. Et quand le petit trou n'existe pas, ben la dent, elle se débrouille, elle force, parce qu'une dent, ça a des idées bien arrêtées sur l'endroit où elle doit aller. Elle est comme ça la dent. Pendant ce temps, votre petit(e), il pleure. Beaucoup. Plus haut. Plus fort. Si vous pouviez l'aider, vous le feriez, sans hésiter.

1. Écouter un album de Sardou en boucle et choisir *Je suis pour* en soirée karaoké.

2. Vous coiffer comme François Fillon toute une semaine.

3. Commencer toutes vos phrases par « *Ah ouais, c'est comme dans* Plus belle la vie ».

4. Aller au boulot en maillot de bain Speedo.

5. Reprendre 3 fois de la brandade de morue au self de la cantine.

6. Arrêter de regarder la prochaine Coupe du monde de foot aux 1/4 de finale.

7. Faire croire à votre femme que vous avez déjà fantasmé sur son frère.

8. Envoyer un SMS cochon à votre belle-mère. Voire 3.

9. Porter un T-shirt Hello Kitty en séminaire de boîte (sans avoir le droit de dire pourquoi évidemment).

10. Vous épiler le pubis à la cire froide et au sucre.

11. Regarder le même épisode de « L'amour est dans le pré » 57 fois. Avec le son.

12. Aller à une manif Front national avec un T-shirt « Touche pas à mon pote ».

13. Aller vivre 1 an en Russie et manifester contre Poutine tout en étant secrètement obligé de voter pour lui.

14. Ne pas avoir de relations sexuelles suivies pendant 1 an (ce qui finalement était déjà à peu près le cas de toute façon).

15. Manger mexicain « Hot Spicy ++ » à tous les repas pendant une semaine.

16. Croiser Scarlett Johansson dans la rue et l'arrêter pour lui dire qu'elle est vraiment dégueulasse.

10 CRIS d'enfant à analyser pour (enfin) mieux les comprendre

Un truc moyennement bien fait dans la paternité, c'est l'incapacité de votre enfant tout neuf à s'exprimer de manière claire et distincte dès la naissance. Du coup, vous tentez de déchiffrer,
tel un Champollion devant une pyramide de couches, les quelques messages que tente de faire passer l'enfant roi.

1. *Ouaiiiiiinn {w-in}*
(Décibels : 198)
Traduction : « *Saloperie de dents* »
Que faire ? Dites-lui que ça va passer. Là. Tout doux. Le tout en regardant autour de vous pour chercher de l'aide.

2. *Aga-Aga {a-g-a}*
(Décibels : 79)
Traduction : « *Ah ben là on est bien* »
Que faire ? Souriez pour confirmer qu'on est bien.

3. *Hin-Hin-Hin {oe}*
(Décibels : 98)
Traduction : « *Je commence à avoir la dalle* »
Que faire ? Arrêtez tout ce que vous faisiez et rapprochez-vous de son biberon rapidement.

4. *Hiiiiiiiiin-Hiiiiiiiiiin-Hiiiiiiiiiin {oeoeo}*
(Décibels : 116)
Traduction : « *Je crois que t'as pas bien saisi que j'ai super faim* »
Que faire ? Courez maintenant vers la cuisine et priez pour qu'il reste du lait.

5. *Ho ! {o}*

(Décibels : 67)

Traduction : « *Tiens, je viens de prendre un truc que j'avais jamais vu et je sais déjà que j'ai pas trop le droit d'y toucher* »

Que faire ? Confirmez qu'il n'a pas le droit avec un « non-non-non-non-non » et retirez-lui l'objet des mains. Puis sécurisez toute la zone.

6. *Aahhhhh {aa}*

(Décibels : dépend de la chute, toujours précédé d'un court *blam*)

Traduction : « *Putain de quatre pattes, j'y arriverai jamais ou quoi ?* »

Que faire ? Relevez-le, expliquez-lui que Paris ne s'est pas fait en un jour, que c'est en chutant qu'on apprend, que l'important c'est de se relever… Tout ça donc, mais en simplifiant.

7. *Na ! {n-a}*

(Décibels : 60)

Traduction : « *N'y compte même pas, je n'aime pas les brocolis* »

Que faire ? Insistez un peu, c'est qui le patron ?

8. *Amoaaa {a-m-oâ}*

(Décibels : 70)

Traduction : « *Ce truc est à moi, t'es gentil, tu touches pas* »

Que faire ? Expliquer le concept du don et du contre-don. Et que se faire virer de la crèche le premier mois à force de tyranniser tout le monde, ça n'est pas l'idée du siècle.

9. *Hua-hua-hua {u-â}*

(Décibels : 103)

<u>Traduction :</u> « *J'ai peur, bordel, j'ai peur, il fait noir, est-ce que quelqu'un est là ou est-ce que tout le monde est parti pour toujours ? En plus c'est l'heure de bouffer non ?* »

<u>Que faire ?</u> Réveillez-vous en sursaut. Prenez-le dans vos bras et expliquez-lui ce qu'est un cauchemar en lui tapotant doucement dans le dos. Et accessoirement que vous vous levez très tôt demain matin, qu'il devrait donc apprendre à se maîtriser un peu.

10. *Pa-pa-pa-pa {p-â}*

(Décibels : nc)

<u>Traduction :</u> « *À l'aide* »

<u>Que faire ?</u> Être un papa à l'écoute. Tout le temps. Un garde du corps prêt à n'importe quoi pour que tout aille bien. C'est le contrat initial, maintenant faut assumer, il compte un peu dessus.

10 PETITS SIGNES que votre collègue est lui aussi un jeune papa

*Longtemps vous avez pensé être un peu
seul au monde. Et puis, l'expérience du jeune père vous a
ouvert les yeux sur le monde qui vous entoure : non, vous
n'êtes pas seul dans
ce cas-là. Votre collègue est comme vous :
en manque de sommeil mais affichant
un sourire béat.*

1. **Il a comme une trace douteuse sur sa chemise à l'épaule.**
   Dans notre jargon technique, on appelle ça un RNC (un Renvoi Non Contrôlé).

2. **Il lui arrive de dire au téléphone : « *Il a pris combien ? Eh ben, mets-lui un suppo* ».**
   Et vous savez que tout ça n'a rien à voir avec le discours commercial habituel.

3. **Il redoute un peu les week-ends et fait du rab le vendredi.**
   Et affiche un grand sourire le lundi.

4. **Le dernier film qu'il a vu au cinéma, c'est *Forrest Gump*.**
   Autant dire que ça fait un bail.

5. **Il dort 5 heures par nuit et trouve ça normal.**
   Et se demande presque comment il faisait avant.

6. Il a des pare-soleils Cars sur son véhicule de fonction.
Flash Mc Queen même. Rouge pétant.

7. Il a une nouvelle photo avec un cadre Ikea sur son bureau.
Et change son fond d'écran de téléphone tous les jours.

8. Il est le nouveau centre d'intérêt de toutes les collègues femmes du bureau. Qui lui balancent du « trop mignon » et des « oh là là, tu dois être content » à longueur de journée.

9. Il envisage sérieusement des vacances à Center Parcs.
Parce que tu comprends, c'est quand même hyper pratique.

10. Il a placé une image de *Toy Story* dans sa présentation PowerPoint sur le tout nouveau partenariat stratégique de la boîte.
Même si Woody tapant dans la main de Buzz, ça n'a visiblement pas plu à tout le monde.

INTERLUDE

(La pause Kit-Kat)

Vous venez, à quelques pages près, de franchir la moitié du livre, c'est bien. Bon, c'est pas non plus *Guerre et Paix* niveau taille, mais l'effort est louable. On n'est pas bien sûr que vous ayez retenu grand-chose pour le moment, mais avouez-le, vous vous sentez un peu plus père maintenant qu'il y a quelques minutes. Y'a un truc, non ?

Si ce n'est pas le cas, ne désespérez pas non plus, ça viendra. Il reste encore près de 40 listes pour faire de vous un papa prêt à tout endurer, que dis-je un père responsable, connaissant son sujet sur le bout des doigts.

En tout cas, on vous remercie d'avoir souri, plusieurs fois même. Vous avez même contenu un vrai rire, et vous n'auriez pas dû, les études prouvent que c'est pas très bon pour le transit.

Si toutefois vous étiez particulièrement mécontent de ce livre parce que vous attendiez des vraies règles de survie, comme savoir faire du feu avec un caillou et un peu de mousse, ou savoir faire une clef de bras dans le métro pour impressionner le petit, vous pouvez toujours essayer d'écrire à l'éditeur pour vous faire rembourser, mais on n'est pas sûr que ça soit efficace. Franchement je serais vous, je m'en passerais. D'autant que vous avez un peu corné le livre et que vous aviez les doigts gras : ça ne marchera jamais.

Fin de l'interlude. Back to business. Prenez une bière, installez-vous confortablement pour lire la fin. Si vous ne le faites pas pour vous, faites-le pour votre enfant. D'autant qu'à la page 154 (ou pas loin), il y a du suspense et plein de morts, une vraie boucherie, ça devrait vous plaire.

TU VEUX SAVOIR SI ELLE AIMERA BIEN ZIDANE COMME PRÉNOM ?

Envoie <u>hahaha</u> au 6 11 11

VOUS ET LA PATERNITÉ
DE 1 À 3 ANS

10 CHOSES du sexe qui changent « un peu »
quand tu deviens papa

On entend souvent dire que l'arrivée d'un bébé change pas
mal de choses dans le couple.
Eh ben, c'est vrai.

1. La durée des relations sexuelles

Fini le temps idéal entre 7 et 13 minutes selon les études. Entre 2 biberons / pleurs / changements de couche, on va au plus vite. Quitte à faire les préliminaires après, s'il reste du temps.

2. Être « prêt » n'importe quand

On ne prévoit plus, monsieur, on agit, ou plutôt on réagit au moindre « temps de libido disponible ». Et quitte à faire l'amour avec « Les Maternelles » sur France 5 en bruit de fond, oui. Ça demande juste un peu d'entraînement.

3. L'amour en silence

Vous avez mis 34 minutes à endormir le monstre. Alors ce soir le coït ressemblera à un film de Chaplin. En un petit peu plus érotique, OK.

4. « Le faire » dans des endroits qui ferment à clef

Se faire surprendre dans une cabine d'essayage, pourquoi pas. Mais se faire surprendre par le petit dans votre chambre parce qu'il a peur du monstre sous son lit, bof.

5. Être un brin patient

Attendre quelques semaines après l'arrivée du petit ou de la petite. Non, l'enfant n'a pas été livré par magie par

Chronopost : madame a le droit de se refaire une santé et de laisser le temps à l'envie de revenir.

6. Oublier les grands soirs « prévus »
Vous aviez sorti les chandelles et Barry White pour mettre toutes les chances de votre côté ? Vous finissez avec un intrus au milieu du lit, qui a 39 degrés de fièvre. Ceinture.

7. La confiance en soi
Votre couple avait un peu trop de pression sociale à chaque relation en se disant qu'il fallait que ce soit la bonne. Maintenant que vous avez passé l'épreuve « sexe » avec mention « enfant », vous pouvez vous relaxer, ce n'est à nouveau que du plaisir.

8. Reprendre des positions artistiques
Pendant 9 mois, vous avez limité votre lecture du *Kama-sutra* à quelques pages. C'est le grand retour des saltos et autres « triples boucles piquées ». Travaillez donc la souplesse.

9. La taille des seins de madame
Vous vous étiez habitué au 100 D pendant quelques mois. Le retour à la vie normale peut être brutal. Il faudra trouver autre chose pour s'accrocher.

10. Arrêter de le faire avec d'autres femmes que la vôtre
Maintenant vous êtes papa, va falloir assumer et arrêter de passer aux RH au boulot pour parler avec la stagiaire. Elle finit de toute façon le mois prochain.

10 TRUCS à faire quand vous changez une couche
particulièrement bien fournie

Passage obligé du papa moderne, le moment critique du changement de couches est un pic, un cap, une péninsule à franchir. En réalité c'est pas si compliqué que ça, mais pour les plus délicats, il y a quelques trucs à connaître pour passer ce moment sans encombre.

1. Se répéter « *jusqu'ici tout va bien* ». Plein de fois.

2. Se chronométrer pour ajouter un peu de suspense. 1 minute 43 secondes. Vous ferez mieux demain.

3. Penser à Sisyphe et relativiser. Lui qui doit pousser la même pierre tous les jours pour apaiser la colère des dieux se dirait sûrement que changer des couches, même très sales...

4. Twitter que vous êtes en train de le faire. Pour faire savoir au monde entier que vous êtes un #papamoderne.

5. Envoyer une photo à votre père depuis votre téléphone. Pour lui montrer que c'est pas si compliqué et que lui aussi à l'époque aurait pu le faire.

6. S'entraîner à faire de l'apnée. C'est toujours ça de pris pour les cours de plongée cet été.

7. Se dire « *t'es un vrai bonhomme* ». Et que c'est pas une couche qui va avoir raison de toi.

8. Fermer les yeux. Y'a un risque oui, ne serait-ce que pour ses doigts.

9. Lui réexpliquer inlassablement le concept des toilettes. Le bourrage de crâne a des résultats étonnants.

10. S'interdire formellement de lui mettre le nez dedans comme pour les chiots quand ils font à côté. C'est votre enfant, bordel.

(Bonus 1) Mettez-en 2 pour la prochaine fois. Vous en aurez au moins une de propre.

(Bonus 2) Se rappeler que c'est lui qui paiera votre retraite, normalement. Ça motive.

15 PETITS JEUX à réviser
pour être le papa parfait

*Il arrivera toujours un moment, un anniversaire, un mercredi matin où votre descendance vous affligera d'un « **papa, je sais pas quoi faire** ». Sortez le grand jeu avec les jeux les plus connus du monde dès le plus jeune âge. Même si au début, on se l'avoue, faut faire simple. Voire simpliste.*

1. **« Faire tomber des grandes tours »**
   Amusez-vous à monter des grandes tours de cubes, de Lego, de ce que vous voulez, et laissez-le tout casser. Un truc qui demande surtout de la préparation : 10 minutes de construction pour 2 secondes de joie.

2. **« Je t'ai piqué ton nez... »**
   Avec votre pouce entre vos doigts, c'est idiot, un peu perturbant, mais ça peut vous permettre de tenir 5 minutes.

3. **« Attrape-moi si tu peux »**
   Courez-lui après (lentement) en criant que vous allez l'attraper. Relevez-le et consolez-le, parce que oui, il tombera.

4. **« Le concours de grimaces »**
   Quand on est petit, on est peu de chose. Une langue sortie, un doigt dans le nez, vous êtes un roi. C'est facile d'être papa.

5. **« Et là je fais le cochon »**
   Imiter le cri des animaux est un art. Qui vaut bien le top suivant.

6. **« 1-2-3 soleil »**
   Courir le plus vite possible sans être vu par la patrouille. Une version enfant du permis à points.

7. « *L'élastique* »
Même si les petits mecs ne sont pas toujours très clairs sur l'intérêt de ce jeu de filles. La voie royale pour finir majorette.

8. « *La marelle* »
Une craie, un cloche-pied mal maîtrisé pour une voie directe vers le ciel.

9. « *Le béret* »
Le jeu parfait pour apprendre à compter et à courir vite en même temps (précision importante : peut se jouer sans vrai béret).

10. « *La tomate* »
Ou comment envoyer le ballon dans la tronche d'un copain tout en se faisant monter le sang à la tête. Incontournable.

11. « *Chat perché* »
La version enfantine du « *si tu me chopes, je sors mon passeport diplomatique* ».

12. « *La corde à sauter* »
Pour un entraînement à la Rocky mais sans la mixture avec les œufs frais à gober le matin.

13. « *Cache-cache* »
Le jeu où on a toujours envie de faire pipi une fois qu'on a trouvé la meilleure planquette. Ne vous formalisez pas si votre enfant se cache plusieurs fois de suite au même endroit, c'est normal.

14. « *Colin-maillard* »

Oubliez ce que vous faites maintenant adulte avec un bandeau sur les yeux.

15. « *Cours après les pigeons* »

Le petit Parisien a les jeux qu'il mérite. Et dans un parc, on n'a souvent pas grand-chose à faire de mieux.

(Bonus) « *Papa-tu-m'achètes-une-DS-s'il-te-plaît* »

Moderne certes, mais coûteux. Oui, avec l'iPad c'est pire.

10 CRIS D'ANIMAUX qu'on trouve dans toutes les histoires et que vous devriez connaître par cœur, ça aide

Voici venu le temps des histoires et de l'apprentissage du petit machin. Vous qui rêviez d'assouvir votre passion cachée pour le mime, votre grand moment est là, sous vos yeux. Il suffit juste de lâcher un peu prise pour être crédible en animaux de la ferme et/ou de la savane et/ou on ne sait pas trop d'où. Entraînez-vous.

1. Le singe {hou-hou-hou}

À faire en imitant Tonton Bernard qui est assez proche du primate. Recommandé le matin au réveil pour plus de réalisme.

2. Le cochon {ro-ro}

Tout part du nez. Et pas la peine de lui préciser que « *tout est bon dans le cochon* », ça jette un froid.

3. L'éléphant {pou-ouf}

En vous aidant de votre bras pour faire la trompe. Un voyage pour l'Inde à moindres frais.

4. La poule {pot-pot-pot}

Gardez un peu de mystère en ne lui expliquant pas d'où sortent les œufs. C'est fragile l'enfance.

5. Le poisson {pàh-pàh}

Le mime est un art minimaliste. Alors on ouvre la bouche, doucement. C'est ça, ça vient.

6. Le cheval {hein-heinhein}

Pas le plus facile à imiter. Et ne laissez rien passer : on dit des chevaux, pas des chevals.

7. Le chat {miaouou}

Du grand classique. Ne révélez pas ce que vous savez sur le sujet : que les chats sont en fait des feignasses et que c'est vous qui avez roulé sur « Minouche », 3 ans, en reculant l'autre matin.

8. Le loup {aouhhh}

L'une des stars dans le domaine, un basique à maîtriser parfaitement, tête en arrière. S'aider d'un T-shirt à tête de loup de Johnny Hallyday au besoin pour la mise en situation.

9. Le lion {rraao}

Vous êtes censé faire peur... tout en restant majestueux. C'est là qu'on distingue ceux qui ont le mieux bossé, les mecs.

10. Le tapir {hiii}

Faites preuve d'un peu d'originalité. Si vous savez faire la baleine, vous saurez faire le tapir, à peu de chose près. Bossez donc un peu la baleine (niveau 3 en cris d'animaux, autant dire balèze).

(Bonus) La voiture de pompier {pin-pon}

OK, c'est pas un animal, mais pour mettre un peu d'action dans une histoire de basse-cour, rien ne vaut un bon vieux pin-pon bien sonore. Le jeune public appréciera à sa juste valeur.

10 CHOSES à ne pas dire à
la baby-sitter, c'est mieux

Vous lui confiez ce que vous avez de plus cher pour toute la soirée afin d'aller voir un film moyen au cinéma choisi au dernier moment.

Ça ne va donc pas sans quelques recommandations évidentes.

1. « *Si vous êtes dépassée à un moment, sortez le martinet, hein, y'a que ça de vrai.* »

2. « *Pas plus de 4 heures de télé ce soir pour le petit, on est bien d'accord, hein ?* »

3. « *Ça, c'est ma cave à vin, servez-vous, c'est fait pour ça.* »

4. « *Si vous recevez du monde, allez dans notre chambre, on a quelques glaces au plafond.* »

5. « *Au moindre bruit bizarre, mon flingue est dans le tiroir de la table de chevet. Il est chargé, on gagne du temps.* »

6. « *Surtout ne cherchez pas à nous joindre au téléphone, si on vous paye, c'est pour être tranquilles.* »

7. « *Je vous le dis discrètement, mais notre collection de films pornos est dans l'étagère sous la télé. Amusez-vous.* »

8. « *Si vous sortez acheter des clopes, ne claquez pas la porte que le petit puisse aussi sortir en cas de problème.* »

9. « *Faites-lui le coup de la méchante sorcière. Quand il a peur, ça le calme tout de suite.* »

10. « *Je vous raccompagne, madame est d'accord... on est un couple super libre.* »

10 CHOSES qu'on redoute tous
un jour au supermarché

Faire ses courses n'avait jusque-là jamais été un moment de profonde joie. Certes. Mais avec un enfant, une simple corvée deviendra votre pire cauchemar.

1. Le perdre dans le rayon « Yaourts ».

2. Le perdre dans le rayon « Fruits et légumes ».

3. Le perdre un peu partout en fait.

4. Devoir payer tout ce qu'il casse.

5. L'asseoir dans le Caddie mais ne plus savoir où est ce putain de Caddie.

6. Répondre « *non* » 632 fois à la question : « *Papa, on prend ça ?* »

7. Oublier qu'il est là et passer avec lui dans le rayon « Confiserie ».

8. Découvrir seulement à la caisse les 6 boîtes de protège-slips qu'il lui a lui-même mis au fond du Caddie.

9. Entendre « *le petit Jules* (votre fils donc) *attend son papa* (vous) *à la caisse centrale* ».

10. Affronter le regard de la grosse dame de la caisse centrale quand vous allez le chercher justement.

(Bonus) Voir le montant total des courses et se demander si l'inflation est énorme ou si c'est vraiment cette bouche de plus qui coûte un bras.

10 CHOSES qu'on aimerait voir
dans le parc à côté de chez soi pour tuer le temps

La sortie au parc, c'est-à-dire la répétition des allers-retours dans un endroit inerte, bourré d'enfants qui crient et se volent les ballons, c'est proche de l'ennui ultime. Si l'État veut que l'on fasse plus d'enfants pour repeupler la France, il faudra d'abord réinventer les parcs. Avec…

1. Des écrans géants qui diffusent L'Équipe TV. Ou Infosport+, on n'est pas sectaires.

2. Des attractions type Space Mountain. Au moins pour nous.

3. Des manèges pour petits. Mais gratuits, histoire de ne pas avoir à les aider à descendre toutes les 3 minutes.

4. Des séances de « Parc Dating ». Avoir 7 minutes sur un banc pour convaincre une maman de revenir demain au parc, même heure, même endroit, même poussette.

5. Des ballons en libre-service parce qu'on oublie toujours le sien.

6. Des bornes pour recharger son portable parce que c'est toujours au moment où on n'a plus de batterie qu'on veut vérifier ses mails.

7. Des vrais bacs à sable aux dimensions raisonnables (30 x 15 mètres) pour faire les mêmes châteaux qu'à la plage.

8. Des gens de confiance qui nous diraient « *oh, allez faire ce que vous voulez quelques heures, je m'en occupe* ».

9. Des distributeurs de boissons et de « quatre heures ». Bio bien entendu, on ne pense à rien, mais on veut le meilleur.

10. Des romans d'une page : une page c'est à peu près le temps de lecture dont vous disposez avant de relever la tête et de dire « *oui, c'est bien* » à votre chère tête blonde.

10 CHOSES à faire du coup pour
ne pas mourir d'ennui au parc

Vu que toutes les excellentes propositions que l'on réclame à cor et à cri dans la liste précédente ne sont pas prêtes d'arriver, l'État ayant soi-disant d'autres priorités en ce moment, voici ce que nous vous proposons pour sortir de la torpeur ambiante des parcs et des squares.

1. Déménager tout près d'un vrai parc à thème genre Disney ou Astérix. Là d'accord.

2. Se faire des petits shoots d'adrénaline en perdant son gosse des yeux. Même 30 secondes. Attention, vous ne le ferez qu'une fois et rarement de manière volontaire.

3. Draguer une maman. Oui, c'est mal, mais ça occupe.

4. Regarder les autres parents avec un regard compatissant. Quand on sait que tout le monde galère aussi, c'est moins dur.

5. Organiser des combats illégaux d'enfants, faute de pitbulls. Misez sur le vôtre pour lui donner confiance.

6. Lui faire croire que c'est fermé. Ou mieux, « réservé aux adultes ».

7. Lui faire croire que c'est payant après 10 minutes. Et qu'il doit donc choisir : rester là ou avoir son prochain cadeau d'anniversaire.

8. Crier un prénom en vogue et compter le nombre d'enfants qui se retournent. Essayer de passer la barre des 10.

9. Penser à ce que vous feriez si vous n'étiez pas bloqué là. En faire des listes.

10. Ne pas y aller. Jamais.

5 PETITES RÈGLES à instaurer tout de suite pour des dimanches matin plus calmes

Faire la fête, c'est bien. Le payer le lendemain matin au réveil des enfants à l'aube, c'est moins bien. Des solutions existent pourtant.

1. **La règle du « on fait tout pareil »**

   Couchez-les à la même heure que vous le samedi soir pour les fatiguer un maximum. Soyez généreux sur le droit de regarder des dessins animés à la pelle. Réveillez-les au besoin pendant la soirée s'ils s'endorment trop tôt.

2. **La règle du « dors, je ne te hais point »**

   Avant 10 heures du matin, faites-lui simplement comprendre « *je ne suis pas ton père, tu n'es pas mon fils* ». On se respecte, mais on s'ignore, en bons colocataires.

3. **La règle du « cadeau surprise »**

   Le dernier levé dans la maison gagne un cadeau. Ça marche parfaitement bien. Restez toutefois un peu vague sur la notion de cadeau, ça pourrait devenir coûteux.

4. **La règle du « do it yourself »**

   Mettez tout à sa hauteur pour qu'il apprenne à vivre seul. Biberon / micro-ondes / couches / télécommande / téléphone en cas d'urgence. La vie est une jungle, qu'il s'y habitue dès maintenant.

5. **La règle du « c'est qui le patron ? »**

   Faites poser un verrou sur sa chambre. Mais à l'extérieur bien entendu. Prenez la peine de lui expliquer avant : vous êtes un fêtard, mais vous restez un père compréhensif.

10 SUPER-POUVOIRS
de papa qu'on aimerait bien avoir

Être Batman, c'est assez classe et ça fait rêver les filles.
Mais pour élever un enfant, l'uniforme de chauve-souris,
c'est pas super utile. Et allez mettre un siège bébé dans une
Batmobile... Non, imaginez d'autres formes desuper-pouvoirs...

1. Avoir une voix magique qui l'endormirait dès la 1re histoire.

2. Pouvoir téléporter les couches sales. Loin, très loin.

3. Voler. En vrai. Et à son secours dès qu'il se fait mal.

4. Savoir ouvrir et fermer la poussette avec un seul doigt. Saloperie de poussette.

5. Remplir tous les papiers administratifs rien qu'en les touchant. Tous.

6. Maîtriser la force Jedi pour le forcer à manger avec un seul regard. Même les courgettes.

7. Pouvoir répondre à tous ses « *pourquoi* » sans baratiner n'importe quoi.

8. Être invisible pour le voir jouer sans être vu. OK, c'est un super-pouvoir de maman, mais ça marche aussi pour nous.

9. Savoir les occuper en voiture. Ouais, celui-là.

10. Lui enlever toutes ses craintes, pour qu'il n'ait plus jamais peur, d'un seul « ça va aller, mon petit ».

10 BONNES RAISONS
de partir en vacances sans ses enfants

Vacances. Enfin façon de parler. Parce que les petits ont eux toujours décidé de se lever à la même heure, c'est-à-dire 7 heures, et de vous demander toutes les 10 minutes : « Et maintenant on fait quoi ? » Alors c'est décidé, la prochaine fois, c'est sans eux. Oui, on les aime, mais pas là.

1. **Parce que vous n'avez pas encore gagné à l'Euromillions.**
   Et partir à 3 ou 4 en pleines vacances scolaires, ça douille. Ce n'est pas du tout comme ça que vous imaginiez casser votre PEL.

2. **Parce qu'il existe d'autres activités en vacances que « *on va chercher de l'eau pour faire un château, papa ?* ».**
   Et donc faire des trucs comme dormir, choisir des trucs sur la carte qu'on n'ira pas visiter au final. Ou même lire un livre, c'est dire.

3. **Parce que vous abandonnez déjà tous les ans votre chien à un arbre, le cap n'est pas si dur à franchir avec votre enfant.**
   Un conseil, ne croisez pas son regard, vous pourriez changer d'avis.

4. **Parce que vous avez déjà construit 135 châteaux l'an dernier, dont 57 avec douves et pont-levis.**
   Et devenir expert en Moyen Âge ne fait pas partie de vos objectifs à court terme.

5. **Parce qu'à la question « *on fait quoi à manger ce midi ? »* vous pourrez vous répondre à vous-même « *on s'en fout* ».**
   C'est peut-être un détail pour vous…

6. **Parce que finir la bouteille de rosé le soir sans se soucier du mal de crâne du lendemain est un luxe abordable.**
   Offrez-le-vous !

7. **Parce que ça pourrait être un bon moyen de relancer l'emploi (qui va mal, faut-il le rappeler) en créant des « SPA pour enfants » pour l'été.**
   On cherche des solutions, on ne dit pas que toutes les idées sont bonnes, forcément il faut faire le tri.

8. **Parce que ça fait plusieurs années que vous n'avez pas dit en vous réveillant « *oh, la vache, il est 11 heures* ».**
   Ça sonne mieux que « *oh, putain, il est 7 heures… »*, non ?

9. **Parce qu'il faut bien laisser un rôle social aux mamies.**
   À savoir s'occuper des mômes. Laissez-leur trop de temps libre, et elles finissent par chanter *Les Petits Papiers* un peu partout comme Régine. C'est vraiment ça que vous voulez ?

10. **Parce que « ne rien faire » pourra enfin reprendre son sens.**
    Et quand on dit rien, c'est rien. Même pas une visite d'un musée du coin ? Rien, on vous a dit…

12 ASTUCES pour passer un vol
en avion à peu près tranquille

L'avion pour les vacances, c'est utile et rapide. Ça peut aussi devenir un horrible périple avec un enfant sur les bras (littéralement). Des solutions existent, plus ou moins réalistes. Mais ne dites pas non avant d'avoir essayé.

1. Prévoyez 1/4 de Lexomil, mais pour lui.

2. Donnez-lui le masque à oxygène pendant le décollage.

3. Passez votre brevet de pilote et fermez la porte du cockpit pendant le vol.

4. Payez-vous les services d'une hôtesse accompagnatrice alors que vous êtes dans le même avion.

5. Voyagez seul en 1re classe et le reste de la famille en 2e.

6. Faites-lui croire à une surprise en lui mettant le masque de sommeil sur les yeux. Tout le vol, oui.

7. Choisissez une destination à 1 heure max de vol de chez vous. Oui, ça peut vouloir dire en Autriche, désolé.

8. Partez sur un vol Disney avec les hôtesses en Mulan et les stewards en Tigrou. Ça n'existe pas, mais pensez-y.

9. Allez faire un tour seul régulièrement au wagon bar pour décompresser. Cherchez-le en tout cas.

10. Racontez-lui 2-3 histoires de crash bien glauques, ça devrait le calmer.

11. Jouez au père célibataire débordé et regardez une hôtesse compatissante avec les yeux de l'amour (maternel).

12. Prévoyez autant de jeux qu'il y a de 1/4 d'heures de vol. Oui, ça en fait un paquet pour la Martinique.

10 TRUCS pour tenir le coup
à la plage (parce qu'on s'y emmerde un peu)

Le soleil qui tape, le sable dans le maillot, les serviettes qui s'envolent… la plage, c'est un lieu unique et incontournable avec des mioches, où on s'amuse à s'ennuyer. Mais on se force, on y va pour eux, parce qu'on veut leur faire plaisir…

1. **Ne laissez jamais votre enfant s'occuper des plans de l'incontournable château de sable.**
   On finit toujours avec 4 tours à la con qui s'écroulent et une muraille qui n'en est pas une. Pensez meurtrière, pensez pont-levis. Pour les plus habiles, pensez Renaissance. Ça devrait calmer le papa d'à côté qui se la pète avec sa tour parfaite.

2. **Prévoyez un ballon que vous irez chercher toutes les 2 minutes près de la voisine souriante qui bronze topless.**
   Avant, vous alliez défier de gros costauds oints d'huile sur le terrain de volley. Maintenant, vous le lancez péniblement à un gamin qui ne le rattrape jamais. Mais l'avantage, c'est que vous allez vous-même vous excuser auprès de la voisine en bikini.

3. **Faire secouer sa serviette pleine de sable à votre gosse à côté d'un couple de gros cons.**
   Et ne pas s'excuser, forcément aussi.

4. **N'oubliez jamais un saut et une pelle. Jamais.**
   Faites demi-tour sur l'autoroute s'il le faut. Privilégiez le plastique. Une truelle en ferraille, c'est plus résistant, mais ça fait exploser pas mal d'arcades sourcilières.

5. Complétez avec des tortues, des râteaux, et tout ce qui traîne dans votre coffre.

Un enfant joue avec un truc environ 5 minutes, puis se lasse. Prévoyez large. Mais laissez tomber le cric quand même.

6. Lui faire faire des allers-retours pour aller chercher de l'eau avec son saut Oui-Oui.

Ça n'a aucun intérêt et c'est un peu cruel certes, mais ça devrait le calmer pour ce soir.

7. Lui demander de plier correctement votre journal.

Avec le vent, vous venez de gagner 1/4 d'heure. S'il y est arrivé, prévoyez une carte routière.

8. Prolonger très largement la sieste à la maison.

Et n'aller sur la plage que vers 18 heures.

9. Draguer, comme au parc, avec le gamin dans les bras.

Attention, cela nécessite un minimum de corps en forme. Marche beaucoup moins bien avec un gros coup de soleil sur une bouée ventrale naissante.

10. Payez-vous les services d'un vendeur personnel de chichis/glaces qui passera toutes les 30 minutes.

Ça occupe et ça rythme l'après-midi. Achetez au gamin un truc gras à chaque fois, le gras, ça assomme. Avec un peu de chance il/elle n'aura plus faim ce soir et ira au lit directement en rentrant.

(Bonus) Partir en Bretagne.

Avec les 15 degrés ambiants, au moins vous êtes en jean et en pull. Et au pire, il reste toujours la possibilité de faire un feu pour se réchauffer, ça occupe de chercher du bois mort.

10 TRUCS que vous devrez faire longtemps
à leur place

Il grandit, mais avant son indépendance et son appartement à lui, il y a encore un peu d'eau qui coulera sous les ponts…

1. Ses lacets.

2. Gonfler son ballon / sa bouée / n'importe quoi qui bousille les poumons.

3. Couper sa viande.

4. Fermer son manteau.

5. Le frotter dans son bain.

6. Retrouver les cartes Pokemon qui sont perdues et qui sont simplement sous un livre.

7. Regarder avant de traverser.

8. Changer les piles de leur voiture télécommandée TOUTES les semaines.

9. Préparer les repas. Tous les repas.

10. Vous excuser platement auprès des mamans d'enfants qu'il martyrise.

(La liste qui n'a rien à voir avec le livre)

20 EXPRESSIONS « c'est presque ça,
mais pas vraiment »

Soit de petites expressions françaises légèrement transformées. Oh, pas grand-chose, juste un ou quelques mots différents. Ou encore deux expressions en une. Sur le moment on sourit, on ne relève pas, persuadé que la personne en face plaisante. Mais non. Quand l'expression tape un tout petit peu à côté, pas si loin, mais juste assez, ça donne de jolies perles. Petit florilège.

1. « Ce gars-là est un bout du train » : poétique.

2. « Je suis au bord du rouleau » : suicidaire (mais pas tant que ça).

3. « Tu me retires une fière chandelle du pied » : douloureux.

4. « Sortir la tête du tunnel » : salvateur.

5. « Donner un coup de pied dans la mare » : enragé.

6. « La goutte d'eau qui met le feu aux poudres » : guerrier.

7. « Aller se faire cuire au diable » : novateur.

8. « Petit à petit l'oiseau devient forgeron » : et pèse 3 tonnes.

9. « Se retrousser les coudes » : avec de l'huile de manche.

10. « C'est la porte ouverte à toutes les fenêtres » : et ça c'est pas très éco-responsable.

11. « Faut pas vendre la peau du bœuf avant de l'avoir volé » : non, il ne faut pas.

12. « Ça me fait ni feu ni flamme » : nous non plus.

13. « C'est un juste bouddhiste » : un fanatique, oui.

14. « Chacun voit midi à quatorze heures » : et du coup, c'est le bordel.

15. « Être sourd comme une carpe » : et donc muet comme un pot.

16. « C'est l'étincelle qui fait déborder le vase » : voir point 6.

17. « Remuer le couteau sur le feu » : c'est trop dangereux.

18. « Joindre les 2 bouts du rouleau » : on va s'en sortir, mais ça sera compliqué.

19. « Mettre les pendules sur les *i* » : et les points à l'heure.

20. « L'avenir appartient à ceux qui se lavent tôt » : suffit pas de se lever…

13 MANIÈRES de réagir poliment
à « et si on en faisait un deuxième ? »

Elle finira éventuellement par vous le demander. Ne vous laissez pas surprendre…

1. *« Un deuxième quoi, pardon ? »*

2. *« Pourquoi avec moi ? »*

3. *« Tu as vraiment lu le rapport du pédopsy sur Kevin ? »*

4. *« Les Mayas disent que la fin du monde c'est dans 6 mois, chérie… »*

5. *« Et si on allait plutôt faire les soldes ? Allez, c'est moi qui paye »*

6. *« Je t'ai vue accoucher une fois déjà, hein… »*

7. *« Et si on changeait plutôt de bagnole ? »*

8. *« Joker »*

9. *« Je passe mon tour »*

10. *« T'es marrante. Nan, t'es sérieuse ? »*

11. *« Attendons un peu que ce soit sérieux entre nous »*

12. *« Ma mère est pas super chaude »*

13. *« OK, mais je fais rien les 3 premières années »*

8 PREMIÈRES FOIS
à ne pas rater

*Vous êtes quelqu'un d'important, alors la boîte / le PMU du coin / l'équipe de foot ne peut pas tourner sans vous. Logiquement vous ne pourrez donc pas être là tout le temps (c'est le moment de balancer à votre femme un « **si tu crois que ça m'amuse** »). Vous raterez donc un max de moments inoubliables pendant que votre enfant grandira. Arrangez-vous pour ne pas rater ceux-là : les ricains appellent ça un « **Kodak Moment** »*.*

1. **Le premier lâcher de main pour aller vers quelqu'un d'autre**
   On appelle souvent ça « *le premier pas* », mais c'est encore beaucoup dire. Allez, vous aussi, il faut lâcher.

2. **La première fois qu'il fait une nuit complète**
   Ça serait trop bête de rater ça après 3 mois (6 mois 9 mois : rayer la mention inutile) d'efforts. Même si c'est souvent la nuit où vous dormez justement mal.

3. **Le premier « *papa* »**
   Il est timide, presque inaudible. Vous vous demandez presque si vous n'avez pas rêvé. Mais il vient de le dire, vous le savez. Et il vous regarde droit dans les yeux pour vous en assurer.

4. **Le premier tour de vélo sans petites roues**
   Les négociations ont été rudes mais il vous fait confiance, pédale plus vite, regarde droit. Vous lâchez la selle et courez à côté en le couvrant de « *bravos* ». Il sourit et freine avec les pieds quelques mètres plus loin. Il est fier, mais peut-être pas autant que vous.

5. La première fois qu'il vous parle au téléphone

On ne comprend pas tout, mais il y a du « *papa* », du « *ballon* » et du « *parc* ». Vous en comprenez en tout cas assez pour décider de partir du bureau et de rentrer : il est déjà tard, et il vous manque.

6. La première fois que vous le laissez à l'école

Il a un sac sur le dos mais pas encore de trousse, et serre sa main dans la vôtre comme jamais. Vous le regardez une dernière fois avant de quitter la classe, assis sur un banc à observer ses futurs collègues, puis une autre dernière fois avant de vraiment partir. En espérant que la journée se termine vite pour écouter en souriant ce qu'il ne vous racontera pas.

7. Le premier cinéma ensemble

Vous n'êtes plus certain du film, enfin du dessin animé, mais vous savez que le siège était trop grand, le film un peu trop long et que vous auriez dû apporter des mouchoirs pour lui essuyer ses mains pleines de chocolat.

8. La première fois que vous fredonnez la même chanson

Il s'essaie même à des paroles incompréhensibles, mais le mal est fait, vous avez le cœur brisé. Rapidement suivi par la première fois qu'il vous réclame les Pixies en voiture. Vous lui souriez en regardant dans le rétro.

* Même si Kodak a fait faillite depuis, oui, ça marche quand même.

VOUS ET VOTRE ENFANT QUI GRANDIT TROP VITE

11 QUESTIONS embarrassantes qu'il vous posera devant tout le monde en plus

Vous les redoutiez, vous aviez raison. Préparez-vous.

1. « La chienne Pépette, là sous terre, elle a pas froid quand il pleut ? »

2. « La grosse dame, elle a mangé trop de bonbons, c'est ça ? »

3. « C'est ce monsieur-là que tu dis qu'on n'aime pas ? »

4. « Si on n'a pas de jardin, c'est qu'on est pauvre ? »

5. « Si t'as pas de travail, papa, c'est que tu sais rien faire ? »

6. « Maman, quand elle crie la nuit des fois, c'est qu'elle fait des cauchemars ? »

7. « Pourquoi tu appelles mamie "la vieille peau" ? »

8. « Comment on fait les bébés ? »

9. « On ira un jour sur l'île très loin où il y a mamie, papy et le roi de la pop qu'on n'entend plus beaucoup chanter en ce moment ? »

10. « Papa, tu peux m'expliquer ce que c'est un logarithme népérien ? »

11. « Et toi, tu vas mourir bientôt ? »

40 TRUCS de l'enfance qui nous manquent et dont il doit bien profiter

Pour vous c'est trop tard. Mais pour lui ou pour elle, il est encore temps de profiter du temps béni de l'enfance. Pas béni pour tout, on est d'accord, mais pour cette liste-ci de petits trucs, on donnerait beaucoup aujourd'hui.

1. Roter et entendre en retour « *c'est bien* ».

2. Jouer avec son zizi en regardant la télé. Et en mangeant. Tout le temps donc.

3. Faire la sieste tous les jours.

4. Être excité comme une puce avant Noël.

5. Entendre qu'on est mignon même quand on perd ses dents.

6. Entendre tout le monde te dire « *tu as bien le temps pour ça* ».

7. S'entendre réclamer des câlins.

8. Se faire dorloter quand on est malade.

9. Avoir quelqu'un pour vous lire une histoire avant de dormir.

10. Pleurer après sa première glace pour en avoir une deuxième.

11. Se faire aider pour prendre son bain.

12. S'amuser avec tout ce qu'on nous pose sur la table.

13. Ne pas se faire engueuler quand on fait tomber quelque chose.

14. Avoir le droit de dire « *les filles c'est nul* » quand on est un garçon sans qu'on te regarde bizarrement.

15. Ne pas trop comprendre les mots comme « cancer » ou « sida ».

16. Se balader à moitié à poil dès qu'il fait chaud.

17. Ne jamais se soucier de ce qu'on va faire à manger.

18. Avoir 2 mois de vacances l'été.

19. Imaginer ce qu'on pourra faire plus tard, quand on sera grand, comme cosmonaute.

20. Regarder son âge au fond du verre à la cantine.

21. Dérouler un rouleau de réglisse sans le casser.

22. Faire des volcans dans sa purée.

23. Attendre la récré pour reprendre sa partie de chat perché.

24. Parler à ses peluches.

25. Sourire avec les dents pleines de Nutella.

26. Souffler sur son marqueur pour qu'il remarche.

27. Faire un foot de dingue avec des pulls à la place des poteaux.

28. Avoir le droit à des goûters trop gras.

29. Avoir envie de faire pipi quand on a la meilleure planquette à cache-cache.

30. Dire à quelqu'un qu'il est moche et/ou trop gros.

31. Sentir l'odeur de la colle Cléopâtre (qu'on mangeait, en plus).

32. Humer l'odeur du crayon de bois qu'on vient de tailler et le petit tortillon qui va avec.

33. Fredonner le générique de son dessin animé préféré, qu'on connaît par cœur mais qu'on ne chante pas à voix haute.

34. Dire à tout le monde qu'on vient de faire caca. Ou qu'on va le faire.

35. Gagner de l'argent quand on perd ses dents grâce à un petit rongeur.

36. Croire qu'on dessine super bien puisque tout le monde vous le dit.

37. Obtenir des regards pleins d'amour en offrant des cadeaux tout pourris.

38. Regarder les catalogues de jouets en pointant du doigt.

39. Pouvoir dire « *c'est pas moi* » après être accusé d'une grosse bêtise et qu'on est tout seul.

40. Dire à un copain qu'on n'est plus son copain. Pour quelques minutes au moins.

10 TRUCS débiles qu'on fait croire aux enfants

Dans la série « faut-il ou ne faut-il pas faire », une petite liste de tous les mensonges quotidiens que l'on dit à nos petits. Un top en forme de spoiler ultime. (Jeune lecteur, si tu as moins de 8 ans et que tu lises ces mots, sache que « la direction se réserve le droit de dire ce qu'elle veut et n'est en rien responsable des vérités bafouées qui suivent et qui peuvent te faire comprendre que tes parents sont de beaux fumiers ».) Petite liste de l'infâme.

1. **« Les cloches ont apporté du chocolat dans le jardin »**
   Oui, mamie, c'est ça. Avec leurs bras ? Et comment tu expliques la phrase « pas de bras, pas de chocolat » alors ?

2. **« Si tu n'es pas sage, le Père Noël ne passera pas »**
   Sans préciser en plus que pour ce gros lourd rougeaud et barbu, passer par la cheminée avec une Xbox et un vélo, ça va être tendu.

3. **« La petite souris déposera de l'argent sous ton oreiller quand ta dent sera tombée »**
   Oui, c'est ça, une musaraigne bien crado avec un billet de 10 euros dans sa poche arrière. Comme dans *Ratatouille*.

4. **« Tiens, je t'ai volé ton nez »**
   Attends, pars pas, je te le rends. Les traumatismes de l'enfance, ça commence comme ça.

5. **« Ta tortue est partie du jour au lendemain parce qu'elle en avait marre que tu l'embêtes, mais elle doit être en voyage »**

Elle vit maintenant avec Elvis sur une île très lointaine.

6. *« Alors les garçons naissent dans les choux et les filles dans les roses… »*

Et aussi des fois dans les cliniques hyper techno avec Canal+ et le Wifi. Mais c'est presque pareil.

7. *« Si tu manges pas ta soupe, tu grandiras pas. Jamais »*

Faites-le regarder « Fort Boyard » pour le convaincre.

8. *« Mais tu dessines super bien. Tu sais, moi je sais pas dessiner comme ça »*

Et là, elle est où la tête ? Il a pas de tête ton bonhomme ? Ah si. Ah ouais. Mets ton manteau, on va voir le psy, le gentil docteur de la tête.

9. *« Si tu louches quand il y a du vent, tu vas rester comme ça toute ta vie »*

Oui, comme Dalida. Exactement. C'est ça que tu veux toi aussi, mourir sur scène en chantant du Pascal Sevran ?

10. *« Quand tu seras plus vieux, tu pourras décider de tout. Pour le moment c'est moi »*

Plus tard aussi, il y aura plein d'autres gens pour décider pour toi, petit homme. À commencer par ton boss qui a décidé que ce PowerPoint à rendre, c'était pour lundi. Chienne de vie.

TOP 11 des jouets à acheter d'urgence
pour y rejouer en douce

L'enfance et les longs après-midi à jouer dans votre chambre vous manquent. Avoir un enfant, c'est avoir à nouveau le droit d'écarquiller les yeux dans les rayons de Toys'R'Us. Tant mieux si c'est un garçon, et tant pis si c'est une fille, elle jouera avec des jouets de petit gars. L'occasion aussi de vous faire plaisir avec des jouets que vous n'avez jamais réussi à avoir dans votre (pas si lointaine) jeunesse.

1. **Un château fort Playmobil**
   Ou un bateau pirate. Ou à peu près n'importe quoi en Playmobil en fait.

2. **Un circuit TCR**
   La fameuse télécommande sans fil pour votre circuit de bagnoles. Mythique.

3. **Un Big Jim**
   Celui-là même qui adorait dévisser la tête des Barbie.

4. **Un « arbre magique »**
   Avec le grand plaisir de l'ouvrir et le fermer. Encore.

5. **Plein de petits soldats dans toutes les positions pour faire une bataille**
   Ceux avec le gros socle vert à la place des pieds.

6. Un vaisseau de Star Wars

Le Faucon Millenium au format 1/40. C'est un exemple, hein.

7. Une (très) grosse boîte de Lego

Le jouet parfait. Sauf quand tu marches dessus pieds nus, la nuit.

8. Une voiture télécommandée

Avec des grosses roues et si possible une portée de plus de 3 mètres. Et pas 15 piles. Merci d'avance.

9. Des voitures Majorette

En repensant à la petite ambulance que, petit, vous aviez repeinte en bleu pour faire plus « police ».

10. Un « écran magique »

Une sorte d'iPad rouge monomaniaque, c'est bien ça.

11. Une dînette

Il faut se l'avouer, vous aussi vous avez pris du plaisir à simuler la vente de tomates, à rendre la monnaie et à dire « *merci madame* » à votre sœur.

10 CHOSES à lui dire quand il vous donne un dessin moche

Être papa, c'est savoir s'extasier parfois sur pas grand-chose. Parce qu'il faut lui donner confiance, lui donner l'envie de recommencer, le mettre sur le chemin de la prise de risque. Mais si finalement être franc était la meilleure des choses à faire ?

1. « *Tu te fous de moi ?* »

2. « *Je te préviens, c'est la dernière fois que tu dessinais.* »

3. « *Tu veux que je pleure, c'est ça ?* »

4. « *C'est dingue ça, tu sais vraiment rien faire.* »

5. « *Architecturalement parlant, ta maison là, c'est un désastre.* »

6. « *C'est pas grave de pas être manuel, tu sais.* »

7. « *C'est ça que t'apprends à l'école ? Elle va m'entendre ta maîtresse.* »

8. « *Pourquoi ? Pourquoi ? Pourquoi ?* » (en se tenant bien la tête entre les mains)

9. « *Au moins on sait déjà que c'est pas ton truc.* »

10. « *Dis-moi que t'as pas fait ça avec les mains...* »

8 RAISONS de préconiser l'adoption pour le prochain

Vous vous faites doucement à l'idée d'un deuxième enfant. Mais vous cherchez différentes voies pour assouvir votre soif de nouveautés.

1. Vous aimez bien choisir votre modèle en magasin.

2. Si vous foirez son éducation en beauté, vous pourrez toujours dire que ça vient de ses gènes.

3. Un beau voyage au bout du monde pour aller le chercher, c'est quand même autre chose qu'un aller-retour à la clinique du coin.

4. Si vous choisissez bien l'âge, vous devriez gagner quelques nuits de calme.

5. Vous payez encore la couvade de la grossesse du premier.

6. Celui qui est né avec rien est souvent content avec pas grand-chose.

7. Vous pensez que le SAV et les 7 jours de rétractation, c'est pas fait pour les chiens.

8. C'est mesquin, mais vous évitez de payer pour les faire-part.

11 TRUCS pour reconnaître un dessin d'enfant au premier coup d'œil

Votre papa-itude naissante ne vous permet pas encore de savoir qu'un dessin d'enfant a des grands principes immuables. Si vous voulez devenir un expert de la question, et même si cela n'a que peu d'intérêt au final, sachez y reconnaître…

1. **La persistance de certains sujets**
   Mon papa, ma maman, ma maison, mon école. L'enfant artiste a un sujet de prédilection et il s'y tient.

2. **Un support novateur**
   Ici pas de toile blanche immaculée comme celle du peintre. Une feuille (mal) déchirée à grands carreaux (et avec marge) fait l'affaire.

3. **Un soleil avec des yeux : parfois 2, mais pas toujours**
   Il arrive que le soleil soit pris de côté et devienne borgne.

4. **Une maison plate avec 2 fenêtres, mais uniquement à l'étage**
   Le rez-de-chaussée à l'aveugle servirait donc de garage, mais sans porte. Discutable d'un point de vue purement pratique.

5. **De la fumée qui sort de la cheminée, même en plein été**
   L'enfant apprécie visiblement le barbecue dans la maison, ce qui, reconnaissons-le, est un peu léger question sécurité.

6. **Un oiseau en forme de V**
   Et un seul. Le reste de la troupe est sans doute décédé de la grippe aviaire.

7. Un superbe nuage, pas loin de l'oiseau

Du genre cumulo-nimbus ouaté. Et surtout un ciel très bas donc, ce nuage étant à quelques mètres à peine de la pelouse.

8. Des bonshommes avec des mains gigantesques

Quand il y a des mains. Et encore avec 3 doigts.

9. De l'herbe éparse et mal tondue en forme de pics

Colorier tout le bas du dessin en vert, c'est long. Alors que placer quelques barres vertes ici et là suffit à faire comprendre l'idée. Dessiner, c'est laisser de la place à l'interprétation.

10. Une grosse fleur pour symboliser toute la nature

Toujours la même : un rond (le pistil) avec des ronds autour (les pétales), le tout au bout d'un trait (la tige). La nature est bien faite.

11. L'absence de signature discrète en bas à droite

Pas de de nom pompeux en bas comme le ferait un artiste. Une marque de doigt au Nutella éventuellement. Ou au contraire le nom de l'enfant qui vient écraser 50 % du dessin (avec la dernière lettre qui passe à la ligne, faute de place).

10 MOMENTS où on est super fier

Parce qu'on parle souvent des moments délicats de la paternité. Mais les vrais moments, ceux qui restent et qui effacent tout le reste, c'est ceux-là.

1. Chaque soir où vous rentrez du travail et où il vous fait la fête. Oui, comme un labrador mais en mieux.

2. Quand vous lisez dans ses yeux que vous êtes spécial.

3. Quand il prête ses jouets à un sale gosse qui pleure.

4. Quand il déchiffre son premier mot dans la rue, sur une enseigne. Et que vous comprenez qu'il sait lire.

5. Quand il décroche sa première médaille de n'importe quoi. De judo, ou de Scrabble.

6. Quand c'est lui qui vous prend en photo pour la première fois. Et qu'elle est réussie.

7. Quand il vous dit que plus tard il voudra faire le même métier que vous.

8. Quand on découvre chez lui une qualité ou un talent que vous n'avez pas.

9. Quand il commence une phrase avec ses copains/copines par : « *Eh ben, moi, mon père...* »

10. Quand il grandit devant vos yeux ébahis, tous les jours, sans rien faire de spécial.

10 RAISONS de ne pas lui prêter votre iPad ou toute autre tablette (on n'est pas sectaire)

Il traîne là au milieu du salon, négligemment, entre 2 utilisations prolongées, alors forcément le petit truc sur pattes qui touche à tout finira par tomber dessus. Avant de le faire tomber tout court...

1. Il pourrait tomber sur votre historique web. Ce qui se passe sur l'iPad reste sur l'iPad.

2. Vous ne lui piquez pas ses jouets, alors chacun ses affaires.

3. Qu'il aille s'en acheter un si ça l'intéresse tant que ça.

4. C'est le prix de tous ses jouets réunis, et s'il le casse, il n'aura pas d'argent de poche avant 2048.

5. À son âge vous jouiez à compter vos doigts. Le progrès nous a fait beaucoup de mal.

6. Vous avez peur qu'il le maîtrise mieux que vous rapidement.

7. C'est un outil de travail. Bourré de jeux que vous avez installés certes, mais c'est pas la question.

8. Il n'a pas eu 18 de moyenne générale, vous l'aviez prévenu. Et même s'il est en CP, ça n'a rien à voir.

9. Vous avez peur de ne plus savoir quoi faire aux toilettes.

10. Vous l'avez décidé, c'est comme ça, c'est encore vous le patron et vous n'avez rien à lui expliquer. Prends ça dans les dents, Dolto.

10 RÉPONSES à la question :
« papa, c'est quoi la mort ? »

On redoute un peu l'instant où il prend confiance et se met à poser des questions où les réponses sont au mieux complexes, au pire très délicates. Vous pouvez en réalité être très relax sur le sujet.

1. *« Finis ton yaourt ! »*
(version « je-botte-en-touche »)

2. *« C'est le nom d'une grande île, très loin, où vivent Elvis, Michael Jackson, Pépette notre labrador, Mamie et le poisson rouge. »*
(version poétique, presque)

3. *« La mort c'est le commencement mon petit... »*
(version enchanteresse raëlienne)

4. *« Je t'en pose des questions, moi ? »*
(version père indigne)

5. *« Ouh là, c'est un truc de filles, demande à maman, elle saura mieux. »*
(version lâche, un peu)

6. *« C'est comme quand tu vois pas papa parce qu'il rentre tard du travail et que tu es déjà au lit, mais tout le temps. »*
(version « une mauvaise explication vaut mieux qu'un long silence »)

7. *« Et si on allait chez Toys'R'Us tous les 2 ? Et après au McDo ? »*
(version « on s'embrasse, on oublie tout »)

8. *« Ben, selon Platon, il s'agirait simplement de la sépa-ration de l'*âme avec le corps, alors que pour Heidegger, *c'est l'angoisse ultime de l'absence et de la séparation. Il t'apprenne rien à la crèche ou quoi ? »*
(version « la philo pour les Nuls »)

9. *« C'est tout simple, mon petit, c'est comme un après-midi de shopping avec ta mère le jour de l'ouverture des soldes. »*
(version misogyne)

10. *« C'est rien, on verra plus tard, c'est un truc de grand. »*
(version « vivons heureux, vivons caché »)

7 CONSEILS pour un premier film au cinéma avec lui

Une première fois dans une salle obscure, c'est un moment à ne pas rater. À condition d'y mettre les formes.

1. **Choisissez une place près des toilettes. Tout près.**
   Parfois, c'est une question de secondes. D'ailleurs si on voit bien depuis les toilettes, restez-y carrément.

2. **Ne lésinez pas sur les kilos de pop-corn et les litres de boissons qui font pschitt.**
   Dans tous les cas, évitez le chocolat. Sinon, vous pourriez avoir une surprise quand les lumières se rallument.

3. **Évitez les films sud-coréens en VO.**
   Si vous devez lui lire tous les sous-titres, ça perd un peu de son charme.

4. **Privilégiez un dessin animé plutôt qu'un film primé à Cannes.**
   Le Roi Lion, même si ça impressionne, c'est toujours moins traumatisant qu'un film de Haneke. Même pour vous.

5. **Regardez un premier film chez vous dans le noir en le mettant trop près de l'écran et en lui demandant de ne pas parler.**
   Les répétitions, parfois ça a du bon.

6. **Ne lui demandez surtout pas pendant le film s'il comprend.**
   Non, il ne comprend probablement rien. Mais ça ne l'empêche pas d'adorer quand même.

7. **Gardez le ticket et prenez une photo.**
   Les premiers souvenirs ensemble, ça se construit.

10 MÉTIERS à ne pas recommander à son enfant, c'est mieux

Bien sûr, c'est lui ou elle qui choisira, vous ne ferez que donner votre avis. Mais vous avez décidé de lui recommander quand même d'éviter...

1. Chevalier ou princesse

Dans la vraie vie le chevalier part rarement en croisade, c'est très sédentaire. Et la princesse finit trompée et en dépression dans *Voici*.

2. Chasseur de nazis

De moins en moins de débouchés avec le temps qui passe.

3. Rock star

La musique c'est bien, mais ramener du crack à la maison, c'est pas un bon exemple pour le petit frère.

4. Médecin légiste

Vu qu'il pleure déjà quand il se croûte le genou...

5. Porn star

Votre ouverture d'esprit a des limites. Vous ne souhaitez pas que votre gosse devienne l'idole de certains de vos collègues graveleux.

6. Prof (en zep)

Tant d'efforts pour finir déjà déprimé aux vacances de la Toussaint...

7. Tueur à gages

À ne pas confondre avec mercenaire (aussi à éviter cependant). Prévoir une bonne mutuelle.

8. Footballeur

Tu peux finir très riche à 22 ans mais tu dois aussi forcément rouler en 4 x 4 avec des gros tatouages et dire l'important « c'*est les 3 points* » toutes les 2 phrases. C'est le package.

9. Proctologue

La médecine est un domaine très vaste, il s'agit de bien choisir sa discipline…

10. Faire comme papa

Le meilleur exemple dans la vie, c'est parfois de prendre le chemin inverse, par principe.

10 MÉTIERS pour le faire rêver lui, même si c'est pas vrai

Expliquer à son enfant qu'on est comptable (mais aussi responsable des tickets restaurant, quand même), c'est pas forcément ce qui le fera rêver. Alors si vous voulez rester le roi à ses yeux, mentez, mais mentez bien. En fait vous êtes…

1. Agent secret
Passez rapidement sur le « droit de tuer », complexe à expliquer.

2. Pilote
De n'importe quoi mais avec une combinaison.

3. Cow-boy
Pas gardien de vaches hein, nan, avec des flinguos. Ajoutez une étoile de shérif, ça fait pas de mal.

4. Cosmonaute
Vous connaissez personnellement Buzz l'Éclair, oui, mais il ne vient pas souvent au bureau.

5. Pompier
L'uniforme, ça n'impressionne pas que les mamans à l'école.

6. Fabricant de jouets
Avec un poste à responsabilités. Du genre à connaître les jouets du prochain Noël à l'avance.

7. Copain de Batman
Personne n'a jamais vraiment vu le vrai visage de Robin, ça peut passer.

8. Footballeur

Soyez inventif s'il demande pourquoi il ne vous voit jamais à la télé. Nous, on n'a pas encore trouvé.

9. Inventeur

Dès que vous voyez un truc qui lui plaît, expliquez-lui comment et pourquoi vous avez décidé de le fabriquer.

10. Chef équipier à McDo

Ça devrait au moins impressionner ses potes quand vous leur offrirez un Sunday. Une casquette, une grande frite, et on gagne le respect. On est peu de chose, hein.

9 MÉTIERS pour la faire rêver elle, même si c'est pas vrai non plus

Si ça marche pour lui, pas de raison que ça ne fonctionne pas pour elle. Oubliez le monde de la comptabilité et des bilans de fin d'année dans des pièces avec moquette murale, et dites-lui que toute la journée vous êtes...

1. **Vétérinaire**
   De petits animaux à la patte cassée que vous sauvez, forcément. N'évoquez pas la nécessité à un moment de trifouiller l'intérieur d'une vache, c'est moins vendeur.

2. **Prince** (même d'une petite principauté)
   Ce qui la laissera imaginer que princesse reste pour elle une option envisageable.

3. **Marchand de chaussures ou de bonbons...**
   L'important c'est d'avoir une caisse qui fait du bruit et de pouvoir rendre la monnaie en disant « *merci beaucoup et à demain* ». Elle pourra donc s'entraîner pour sa future carrière.

4. **Chanteur connu**
   De quoi la laisser rêver sur son futur Girls Band à elle.

5. **Sage-homme**
   Ou pour qu'elle comprenne mieux, dites que vous vous occupez des bébés. Mais précisez que non, vous ne pouvez pas enlever les piles quand le bébé pleure trop.

6. Fleuriste

Ce qui laisse entendre que vous avez réussi à combiner le goût pour la confection de bouquets de pâquerettes et l'excitation de la caisse.

7. Maître d'école

Mais gentil, comme Gérard Klein dans « L'Instit ». Histoire de renforcer sa vocation.

8. Coiffeur

Et pas façon je refourgue des colorations auburn à toutes mes clientes quadragénaires. Mais plutôt je passe mes journées à lisser de longs cheveux blonds.

9. Super-héros

Pour rester le plus fort du monde. Promenez-vous de temps en temps avec une cape pour entretenir le mythe.

12 CHOSES à ne pas dire avant
son premier jour d'école

Cartable neuf, trousse et mal au bide, c'est la rentrée. Pour ne pas ajouter de la panique au stress, ne dites jamais...

1. « *Tu vas en prendre pour 15 ans ! Voire 20 si t'es pas trop bête.* »

2. « *Ta maîtresse ressemble drôlement à Voldemort, c'est normal ?* »

3. « *Moi à mon premier jour d'école, on m'a fait saigner du nez. Allez, va t'amuser.* »

4. « *Si tu sens que ça tourne mal, cours et sauve ta peau. Ne te retourne pas.* »

5. « *On se voit ce soir. Si tout va bien.* »

6. « *Repère le plus costaud et frappe-le fort dans le bas du ventre. Le respect, c'est tout de suite que ça se gagne.* »

7. « *C'est toute une génération, une famille entière qui compte sur toi. Ne nous déçois pas.* »

8. « *Laisse tomber les maths, c'est pas ton truc, t'es un manuel toi.* »

9. « *Si tu entends une sonnerie très forte, planque-toi immédiatement sous la table.* »

10. « *Demande si t'as des RTT, on sait jamais.* »

11. « *Méfie-toi des épinards à la cantine, je suis persuadé qu'ils mettent un truc dedans.* »

12. « *N'aie pas peur. Enfin, un peu si.* »

TOP 14 des trucs inutiles et étranges que votre enfant rapportera de l'école (à coup sûr)

Où l'on découvre que les enfants ont une propension importante à rapporter absolument n'importe quoi à la maison après simplement quelques heures à l'extérieur...

1. Des poux.

2. L'écharpe de quelqu'un d'autre.

3. Des idées étranges sur la reproduction.

4. Des chansons toutes nazes mais qui font fureur dans la cour.

5. Des bouts de pain de la cantine du midi.

6. Des infos croustillantes sur la sexualité des parents de son copain.

7. Des poésies à apprendre et que vous apprendrez donc aussi.

8. Une gastro.

9. Un mot de la maîtresse pour acheter un rapporteur.

10. Le pantalon de quelqu'un d'autre aussi (?!).

11. Des questions bizarres comme « *est-ce que le fromage avait déjà des trous à l'époque des dinosaures ?* »

12. Un petit pot en plastique avec un haricot dans de la terre.

13. Une couronne bizarroïde d'elfe en feuilles de chêne. Par exemple. Un truc moche, quoi.

14. Des têtards à relâcher dans un lac le week-end parce qu'ils sont devenus grenouilles et que l'aquarium de la classe n'est plus assez grand.

10 MOTS qu'on redoute dans le cahier de correspondance en primaire

Vous n'avez pas que de bons souvenirs de l'école. Ça ne devrait pas s'arranger avec les gentils petits mots que votre cher bambin a rapportés de l'école...

1. *« Revend ses desserts à la cantine. Et cher en plus »*
2. *« N'a jamais mis les pieds en cours »*
3. *« Cleptomane, niveau 4 »*
4. *« Aurait plus sa place dans l'armée qu'à l'école »*
5. *« Misez tout sur la petite sœur, pour lui c'est plié »*
6. *« Aime beaucoup trop les armes à feu »*
7. *« Triche tout le temps. Même dans le bus »*
8. *« Drague ouvertement la maîtresse, c'est gênant »*
9. *« Parle latin et fait le signe de croix à la récré. Pensez à l'exorcisme »*
10. *« Bon courage à vous »*

10 TRUCS à savoir sur les poux
pour mieux les défoncer

Le pou (oui, on écrit « pou » quand il n'y en a qu'un, mais il n'y en a rarement qu'un, c'est ça le truc). La terreur des écoles, le squatteur de crâne qui a tendance à dégoûter un peu tout le monde, surtout les mamans. En votre qualité d'homme de la maison, prenez le problème à bras le corps.

1. **La petite affiche vue à l'école « Attention, les poux reviennent » ment.**

   Les poux ne « reviennent pas », ils ne sont jamais partis. On pense que ces messages sont contrôlés par la propagande poux pour mieux attaquer par surprise. Soyez vigilant, ils sont là tout le temps et rôdent dans la cour de l'école toute l'année en attente d'une chevelure.

2. **Le pou est fourbe, il s'attaque en priorité à nos gosses.**

   Si le pou avait un peu de courage, il s'attaquerait d'abord aux adultes. Mais non, ils visent en priorité nos enfants dans les collectivités, plus occupés évidemment à échanger leurs jouets et leurs rhumes qu'à faire attention à l'agresseur des récrés.

3. **Le morpion est un cousin très proche du *Pediculus humanus capitis* (le « pou de tête », le plus commun).**

   Il y a des familles de winners comme ça. Encore des remords à les faire partir ces pauvres petites bêtes ?

4. Si ça vous dégoûte un max, n'effrayez pas pour autant le petit.
Dans vos souvenirs d'enfant, les adultes surtout étaient révulsés par cette idée de squat : pour votre part, vous n'étiez pas traumatisé parce que des familles d'insectes avaient posé leurs valises sur votre cuir chevelu.

5. Le pou a une faiblesse, il est sentimental.
Il vit et débarque en bande, copains comme cochons. Si vous en chopez un et le butez, les autres respectent une période de deuil, mais de quelques heures seulement. C'est toujours autant de lentes en moins.

6. Le pou aurait beaucoup à nous apprendre question sexe, donc méfions-nous.
Il est capable de féconder pas moins de 18 femelles à la suite, sans repos ni pilules bleues. Carrément. On peut donc en conclure que ces queutards se reproduisent très vite. N'attendez pas pour traiter.

7. N'ayez aucun remords à les éradiquer « façon puzzle », ils ne servent à rien.
Alors oui, on pourrait dire qu'ils ont un rôle dans la chaîne alimentaire, que les Esquimaux les mangeaient, que Louis XIV en avait plein sous la perruque… Peut-être, mais non : Kill them all.

8. Vous avez le droit de faire une entorse à la Convention sur les armes chimiques.
On a essayé la méthode douce, la médiation, la négo-ciation, rien ne marche. Ces trucs sont des « fous de cheveux » illuminés qui n'entendent rien d'autre que la force. Allez-y mollo quand même, ça reste de l'insecticide.

9. Attaquez-vous aux vivants et aux « œufs ».

Dis comme ça, c'est vrai que c'est un peu effrayant. Mais traiter les poux vivants sans s'occuper des lentes est inutile. Raser l'enfant est une solution pour le traiter, mais ne faites pas à votre enfant ce que vous ne voudriez pas qu'on vous fasse, même à la fin de la guerre.

10. Le pou au final, c'est pas si terrible, c'est même un « petit » problème.

« Petits enfants, petits problèmes. » Quand il/elle vous rapportera à l'adolescence une demi-barrette de shit dans sa trousse, vous repenserez aux poux avec nostalgie.

10 CADEAUX pourris à s'attendre
à recevoir un jour ou l'autre

Il n'y a pas de raison que seule les mamans morflent pour la fête des Mères ou leur anniversaire. Le papa a lui aussi droit à sa petite dose de bonheur avec un gros bolduc autour.

1. Un collier de nouilles qui était d'abord pour maman, mais il a été plus vite et il a eu le temps d'en faire 2.

2. Un dessin de la famille où vous n'êtes pas dessus et pourtant vous n'êtes que 3 à la base.

3. Un portrait avec du fil électrique.

4. Une cravate en papier. Ne riez pas, ça existe.

5. Un dessin d'école douteux où c'est la maîtresse qui a écrit « bonne fête ».

6. Un cendrier « mais-je-ne-fume-pas-eh-ben-ça-sera-pour-mettre-des-piles-alors ».

7. Le même cadeau que l'an dernier parce qu'il est dans une classe à 2 niveaux.

8. Ses doubles de cartes Pokemon qui sentent un peu le cadeau « panique dernière minute ».

9. Un bisou demandé par maman le lendemain matin parce qu'ils avaient tous les deux oublié votre anniversaire.

10. Rien. Il y a des écoles où on donne encore tout ce qu'on a pour les mamans. Chienne de vie.

10 PHRASES typiques d'enfant
en voiture, et les réponses adaptées

Le long voyage en voiture, interminable, avec des enfants est une étape incontournable dans la vie d'un papa. Il y a un avant et un après.

Question : « J'ai envie de faire pipi »
Réponse : « C'est bien, continue »

Q : « Quand est-ce qu'on arrive ? »
R : « Sachant qu'un véhicule roule à 115 km/h de moyenne… »

Q : « Je m'ennuie, papa »
R : « Moi aussi. Compte tes doigts pour voir. Oh, regarde, un tracteur »

Q : « Est-ce que Batman est plus fort que Superman ? »
R : « Tu préfères ta mère ou ton père ? »

Q : « On est bientôt arrivés ? »
R : « Non, et je ne sais même pas vraiment où on va »

Q : « Je veux pas aller chez Mamie, elle a de la moustache »
R : « La moustache ça donne une certaine classe, regarde Burt Reynolds »

Q : « Tu peux doubler toutes les voitures ? »
R : « Tu veux que Papa finisse toute sa vie en prison dans le noir, sans eau, avec juste un croûton de pain et des colocataires un peu trop familiers ? »

Q : « *J'ai faim. J'ai soif. Et j'ai faim. T'as des gâteaux ? T'en as ?* »

R : « *Tu me prends pour un débutant ? Sous ton siège il y a un sac de survie avec tout ce qu'il faut. Rationne-toi, on n'est pas encore arrivés.* »

Q : « *J'ai envie de vomir* »

R : « *Sois fort. Pense à autre chose. Je te donne 5 euros si tu tiens encore 2 heures.* »

Q : « *Je peux avoir un dessin animé ?* »

R : « *OK, combien tu me donnes ?* »

(Bonus)

Q : « *Pourquoi tu ralentis quand on voit la police ?* »

R : « *Parce que je suis un bon papa* »

10 NOUVELLES CHOSES
qu'on redoute en vacances l'été avec ses enfants, mais c'est normal

Vous n'êtes pas seul, jeune papa.
On en est tous là.

1. Les vacances
Finalement le boulot c'était plus calme. Connerie de RTT.

2. Le planning
Être du genre « on y va et on verra bien », c'est devenu un joli souvenir.

3. L'interminable voyage en voiture
Marche aussi avec des voyages en avion / train / tout ce qui dure plus de 5 heures…

4. Les jours de pluie
Faire le vide dans 35 mètres carrés avec des cris d'orfraie, c'est compliqué.

5. Les amis de vos enfants
Il y a toujours pire ailleurs. Et plus bruyant. Plus chialeur. C'est toujours plus dur quand ce n'est pas le vôtre.

6. Les maisons de location sans télé
Un détail pour vous jusque-là. Mais ça, c'était avant…

7. Les musées / marchés / tout ce qui se visite

Un plaisir à la base mais qui peut gentiment devenir une jolie petite torture.

8. Les barbecues

Fini la simple saucisse-merguez à la va-vite. Maintenant c'est zone de sécurité et Casques bleus autour de la grillade pour éviter l'accident avec un ballon qui traîne.

9. Les bouts de verre sur la plage / la méduse / la moule pas fraîche

En gros tout ce qui te fera visiter les urgences du coin alors que ce n'était pas dans ton planning initial.

10. Le réveil à l'aube

Notamment le lendemain de la soirée que tu t'es accordée pour dire « on y est » en insistant un peu sur le rosé de Provence.

10 CHOSES à bien répéter
à un enfant avant une visite au musée

Faire découvrir l'art à son enfant fait partie de l'héritage culturel qu'il est important de transmettre. Et la télévision a ses limites, rien ne remplace une peinture ou une sculpture en vrai.

1. *« On ne court pas »*
C'est grand, mais c'est pas un gymnase.

2. *« On ne touche pas »*
La peinture avec les doigts, c'est à la maison. Non, plutôt à l'école même.

3. *« On ne crie pas »*
Même si tous ces peintres sont effectivement morts. Raison de plus pour leur montrer du respect.

4. *« On ne se moque pas du monsieur à la casquette qui dort sur sa chaise »*
Ni de la dame.

5. *« On ne dit pas "c'est moche" tout fort »*
Comme tu as fait chez tata Lucette, chez qui c'est vrai que c'est moche.

6. *« On ne dit pas "oh, c'est facile leur truc" »*
Non, c'est un bleu de Klein, c'est pas facile, c'est bleu.

7. *« On ne demande pas à tout bout de champ : "Papa, c'est quoi ça ?" »*
Papa ne sait pas non plus, sinon il aurait pas pris un Audioguide à 5 euros qui ne marche pas.

8. *« On ne demande pas l'iPhone de Papa pour montrer qu'on s'embête »*

On ne demande pas non plus à goûter ou à boire au bout de 5 minutes, c'est une manie ou quoi ?

9. *« On ne saccage pas la boutique du musée »*

Oui, tu auras un crayon et un livre mais uniquement si tu sais me donner la date de naissance de Claude Monet à la fin de la visite.

10. *« On ne court pas »*

Oui, je l'ai déjà dit, mais quelque chose me dit que c'est mieux de le répéter.

10 PHRASES que vous rêvez/redoutez de leur dire un jour

Être papa, c'est devoir faire des révélations de temps en temps. Pour le meilleur et pour le pire.

Un chouette moment...

1. « *La, c'est moi en finale de la Coupe du monde.* »

2. « *Prix Nobel de médecine, oui, mais tu sais, c'est rien, ça peut arriver à tout le monde.* »

3. « *Et là Batman me dit "je sais pas ce que j'aurais fait sans toi"...* »

4. « *Quand j'ai sauvé ta maman en me jetant sous les roues de ce camion, j'ai pensé à rien, j'ai juste fait mon travail de mari, tu sais.* »

5. « *La balle m'a juste éraflé le bras, c'est ça être shérif, mon petit.* »

Une longue explication à prévoir...

6. « *T'es marrant toi, c'était la guerre, c'était lui ou moi...* »

7. « *J'étais en déplacement pour le boulot, je te dis. Demande à ta mère si c'est moi le père, vas-y !* »

8. « *C'est pas la question de savoir si j'ai déjà fumé ou pas, c'est mal le pétard, c'est tout.* »

9. « *Il était tout seul, mais super costaud... Et je l'ai touché un peu quand même. Moins que lui, certes.* »

10. « *De 0 à 6 ans où j'étais ? Moi ? Hein ? Oh, change de ton, s'il te plaît.* »

15 PETITS INSTANTANÉS
**de la paternité à saisir, insignifiants,
et pourtant...**

1. Quand on va vérifier, juste comme ça, qu'il dort la nuit et que c'est le cas.

2. Quand on le prend dans nos bras et qu'il cherche le sein, sur nous aussi.

3. Quand on sent sa petite odeur de sueur dans le cou après la sieste, mais qu'on aime bien parce que c'est lui.

4. Quand il nous appelle avec un premier « *papa* » le matin pour qu'on vienne le sortir du lit.

5. Quand on tient sa main encore potelée dans la nôtre pour une balade, même courte.

6. Quand on sourit à l'entendre « blablater » dans l'autre pièce.

7. Quand on reste à la maison pour le soigner (s'il n'est pas trop malade).

8. Quand il s'endort à table avec sa cuillère dans la bouche.

9. Quand il nous demande d'aller chercher quelque chose et qu'il dort déjà quand on revient.

10. Quand on lui dit un truc à l'oreille pour qu'il aille le répéter.

11. Quand on voit sa tête après avoir prononcé le mot « *bon-bon* ».

12. Quand il se carapate dans nos jambes parce qu'une nouvelle personne vient d'entrer dans la pièce.

13. Quand on entend le premier « *oui* », qui est en fait un « *ui* ».

14. Quand il nous regarde suppliant, bras en l'air, en nous disant « *bras* ».

15. Quand il s'installe péniblement mais en souriant dans le canapé avant un dessin animé.

On le voit donc bien finalement : le papa est une maman comme les autres.

17 MOINS BONS MOMENTS
de la paternité à mettre de côté, mais quand tu le sais, ça va

Ne vous en faites pas, la mémoire est sélective. Heureusement d'ailleurs, sinon il n'y aurait jamais de petite sœur ou de petit frère.

1. Quand on répète chaque soir, inlassablement, le rituel « pipi / les dents / au lit ».

2. Quand il vomit dans des draps propres.

3. Quand on fait un premier passage aux urgences.

4. Quand on le trouve en train de dessiner, mais sur le mur.

5. Quand il faut le changer pile-poil au moment où on part.

6. Quand il fait ses dents. Les putains de dents.

7. Quand votre voix monte un peu trop vite pour lui dire de « *vous écouter, bordel* ».

8. Quand il se réveille à 6 h 54 le dimanche.

9. Quand il nous regarde les yeux pleins de larmes à la garderie.

10. Quand on pense avoir mis tous les sacs dans la voiture en bourrant le coffre et qu'on nous dit qu'il en reste un.

11. Quand on a droit à une « complète » niveau couche (n° 1, n° 2 et le body à changer), où on a l'impression qu'ils s'y sont mis à plusieurs.

12. Quand on voit en s'asseyant dans le canapé le soir qu'on s'est fait coloniser le salon par ses jouets.

13. Quand on doit faire demi-tour, où que l'on soit, pour le doudou oublié.

14. Quand il renverse son verre à table 3 fois, mais dans le même repas.

15. Quand on s'aperçoit qu'il y a autant de nourriture sous la table que ce qu'il vient d'ingurgiter.

16. Quand on doit lire une histoire de plus le soir, toujours une de plus.

17. Quand la pharmacie de garde est, par définition, à l'exact opposé de la ville.

« Un souvenir, même moyen, vaut mieux que l'oubli. »
(Proverbe indien. Ou grec. À moins que ce soit auvergnat. Bref.)

10 MOMENTS de solitude
de l'adolescence à lui expliquer pour lui faciliter les choses

L'adolescence sera une étape délicate, ingrate, pleine de surprises, souvent mauvaises. On choisit doucement sa voie, et au même moment son corps choisit lui aussi la sienne, de manière un peu anarchique. Bref, on n'est pas vraiment raccord. Ajoutez à cela le sentiment que personne ne vous comprend vraiment, le tableau est idyllique. Soyez un bon papa, prévenez-le.

1. **L'érection intempestive**
   Elle vous prend par surprise, n'importe où, sans raison, et surtout tout le temps. À la simple vision d'une fleur, d'une fourchette, ou à l'arrivée à la bibliothèque. Prévoir des pantalons amples pour éviter l'effet « poutre apparente ».

2. **La voix qui change et bafoue une virilité en devenir**
   Une fâcheuse tendance à monter dans les aigus alors qu'on la voudrait caverneuse, chabalesque, sinatresque.

3. **La petite moustache naissante**
   Mi-duvet, mi-moquette murale. Elle est là sans l'être, on n'ose pas encore raser et on ressemble donc à Bernardo, le copain sourd de Zorro. Mais lui vivait au Mexique où l'effet est plus tendance.

4. **L'incapacité physique à regarder une jeune fille dans les yeux, mais plutôt dans les seins**
   Certes ce qu'elle dit semble intéressant et vous aimeriez la regarder dans les yeux. Mais il y a ce fameux T-shirt trop serré. Sûrement dû à un rembourrage artificiel. Oui, les filles aussi ont leurs problèmes.

5. La douche en commun dans le vestiaire

Avant ça n'avait pas d'importance. Maintenant un peu plus. La peur de se rendre compte que le double décimètre n'est pas le même pour tout le monde.

6. L'explosion (quasi nucléaire) d'acné

Surtout le moment où vous vous rendez compte, c'est-à-dire seulement en fin de journée, que vous avez un gros bouton blanc prêt à éclore si joliment, juste à côté de la bouche.

7. La pollution nocturne

Autrement dit un rêve sympathique qui tourne bien... jusqu'au réveil. Moins gênant si on dort chez soi. Plus embêtant si on dort chez un pote.

8. La discussion entre potes quand chacun prétend avoir déjà fait monts et merveilles avec le sexe opposé

Alors que tous savent que rien n'est vrai. Surtout pour vous. On fait comme si.

9. Le moment fatidique des slows dans une boum, quand tous vos potes ont eu le courage d'aller inviter une fille

Fouiller nonchalamment dans les CD en faisant mine de rien. Aller l'inviter, aller l'inviter, aller l'inviter, aller l'inviter... non, la prochaine fois.

10. L'incompréhension permanente de ses goûts musicaux et l'amour inconsidéré de groupes bien pourris et bruyants

Qu'on écoute donc encore plus fort, tout rebelle qu'on est. Rien que pour faire chier papa-maman. Et la mamie du dessus.

TOP 11 des petites choses « incontournables » qu'un homme doit apprendre à son fils

C'est quoi au fond être papa ? Sûrement une histoire de transmission. De valeurs bien sûr. Mais plus encore de petits gestes quotidiens qui doivent, sinon vous sauver la vie, vous aider à la traverser sans encombre. Tu seras un homme, mon fils.

1. **Savoir s'arrêter sur un chiffre rond à la pompe à essence.**
   60.00. Marche aussi avec 45.00 ou 52.00. Une histoire de précision et de justesse. Avoir le sentiment du devoir accompli.

2. **Savoir faire des ricochets.**
   Ça ne sert à rien, mais ça peut impressionner, un jour en camping par exemple. Surtout au-dessus de 8 rebonds. Le choix de la pierre, la gestuelle, le calcul, le ricochet, c'est presque une science.

3. **Ne pas avoir peur des fruits.**
   Les légumes aussi sont nos amis, même le brocoli. Un repas sans viande peut même continuer de s'appeler un repas. Et se terminera donc plutôt par la salade de fruits du jour que par la mousse au chocolat.

4. **Toujours bien écraser une canette avec une main avant de la jeter.**
   Écraser quelque chose avec sa main, c'est le symbole d'une extrême puissance, d'une force brute, presque incontrôlable. Même avec une canette d'Oasis ? Oui, vos biceps surpuissants ne font jamais de pause.

5. Savoir faire un barbecue sans Zip.

Que vous ayez été scout ou pas, la maîtrise du feu est un art indispensable et ancestral. Et pas seulement parce que vous voulez pouvoir dire « *c'est pas si compliqué quand même* » en regardant « Koh Lanta ». Si un jour, c'est la fin du monde et que vous ayez froid, il vous faudra pouvoir réchauffer vos proches. Si vous maîtrisez le feu, vous aurez la femme.

6. Ne rien jeter dans une poubelle sans simuler un tir de basket.

L'homme est avant tout sportif et doit le montrer en toutes circonstances. Pas besoin pour autant de lever les bras au ciel chaque fois, ça reste juste une poubelle à papier.

7. Apprendre à ouvrir une bouteille de bière avec un briquet.

Comme pour le feu, on appelle ça l'instinct de survie. Et lors de vos premiers feux de camp, alors que la nuit est noire et que l'obscurité rapproche les corps, il est toujours préférable de ne pas avoir à demander à qui que ce soit d'ouvrir sa bière, ça casse le mythe.

8. Ne jamais aller jusqu'à lire les pages « voiles » de *L'Équipe*.

Certes une bonne journée commence forcément par la lecture de *L'*Équipe, mais il faut savoir être mesuré dans ses lectures. Aller au-delà de la page 7-8, ça risque de faire un peu trop désespéré, acharné de sport, ou un peu trop oisif. Les pages « voiles », au final ça fait fuir les filles.

9. **Ne pas céder trop rapidement le pouvoir de la télécommande à un tiers.**

Il y a des objets sacrés qu'on se doit de respecter, la télécommande en fait partie. Apprendre à son enfant à maîtriser l'objet central de la maison n'est pas une mince affaire, mais c'est un investissement pour le futur.

10. **Apprendre à rester silencieux la nuit quand on rentre un peu aviné à la maison.**

Et feindre la surprise quand on nous informe le lendemain matin qu'on a fait un bruit terrible. La marche « à pas de loup » est un art qui doit s'apprendre dès le plus jeune âge.

11. **Garder systématiquement ses 2 mains sur le volant au feu rouge.**

Et donc éviter de se les mettre dans le nez. Prenons les petits problèmes masculins à la racine pour éviter que le mal ne se répande...

10 PETITES LISTES
frustrantes quand on est papa

Quand on est un peu frustré, autant l'écrire une bonne fois pour toutes sur un bout de papier, ça calme les nerfs. Ensuite, on se dit que ce n'est pas si grave.

1. Les 25 pays où j'aurais mieux fait d'aller avant qu'il naisse parce que maintenant je vais attendre 20 ans.

2. Les 15 questions qu'on ne me pose jamais parce que je ne suis que le père, alors forcément j'y connais rien.

3. Les 10 jolis cabriolets que je me paierai pas avant un petit moment.

4. Les 10 petites phrases que je n'aurais pas dû lui dire, et je m'en veux.

5. Les 250 films que j'ai pas pu aller voir au ciné et que je ne devrais pas oublier de télécharger.

6. Les 10 « *pourquoi, papa* » auxquels j'aurais bien aimé répondre, mais j'ai une culture générale de poulpe.

7. Les 10 choses à ne plus jamais oublier quand je sors avec lui pour ne pas passer pour un père indigne.

8. Les 10 sortes de nouilles à toujours avoir sous la main, en cas de coup dur.

9. Les 38 choses que j'avais dit que je lui apprendrais, et j'ai toujours pas commencé.

10. Les 25 moments qui ne reviendront plus et qui me manquent déjà.

PETIT CAHIER D'EXERCICES

(maintenant on va savoir si t'es prêt)

Jusque là vous vous dites que tout va bien, que vous maitrisez à fond le sujet de la "papaterie". On va vérifier ça. Mais pas de panique, on va aussi vous aider. Parce qu'au fond, on vous aime bien.

LE PETIT QUIZZ
de Culture Générale de Papa

1. A combien de jours de paternité avez-vous droit à la naissance ?

2. Le nom du truc qui demande souvent de la rééducation après l'accouchement et qu'on sait à peine écrire et encore moins placer ?

3. Le nombre moyen de biberons par jour au début ? (indice : c'est beaucoup)

4. Le nom de l'organisme à contacter pour payer la nounou après avoir tout essayé pour obtenir une place en crèche sans réussite ?

5. Le nom de la phobie du caca que vous allez prétexter pour ne pas changer les couches ?

6. Le mot qu'utilise le docteur pour dire "pipi au lit" ? (et avant 6 ans, c'est pas grave hein)

7. Le joli mot québécois pour dire "tétine" ?

8. De combien d'heures de sommeil a besoin quotidiennement un enfant dans les premières semaines ? (indice : profitez-en)

9. L'inventeur de la fête des mères qu'on vous conseille maintenant de ne doublement pas oublier ?

10. Le poids moyen d'un enfant de 3 ans ? (indice : ce n'est pas en "tonnes")

11. Le nombre de questions posées par un enfant entre 3 et 6 ans ?

12. Jusqu'à quel âge un enfant a besoin d'un siège auto / réhausseur ?

13. Le nom des petits cartes japonaises de toutes les couleurs avec des règles que personne ne comprend mais que les enfants adorent ?

14. Le pire nom donné à un enfant aux USA l'an dernier ? (en vrai)

15. Sinon, ça va, vous tenez le coup ?

---

15 bonnes réponses: vous avez triché, c'est mal.

10 à 14: vous êtes prêt, de la race des "Super Daddy".

6 à 10: on sent qu'il y a quelques notions, mais va falloir réviser un peu.

1 à 5: doit faire des efforts, très mauvais trimestre, attention aux bavardages.

0: vous passerez me voir au cabinet, vous avez un petit problème de vue, c'est peut-être rien du tout, mais on va vérifier ça quand même.

Réponses :

11 - Périnée - 8 - Paje Emploi - Scatophobie ou coprophobie - Enurésie - Une suce - 16h - Pétain - 14 kg - 43255 (à peu près) - 10 ans - Pokemon - Sida - Mais oui vous tenez le coup

LA PAGE POUR PASSER SES NERFS

Entoure les mots qui tu aurais bien voulu dire mais qui te sont maintenant interdits à la maison (sinon tu dois mettre un euro dans une boîte et va te coûter une blinde)

B	E	D	R	E	M	M	E	T	E	J	O	D
Z	F	P	A	R	E	I	M	U	F	E	H	U
A	Q	U	E	L	C	O	N	C	E	M	E	C
U	E	T	S	R	O	N	T	B	E	E	O	O
X	S	A	S	E	U	M	A	I	T	N	U	U
E	S	I	A	I	R	Y	R	B	N	B	D	I
R	O	N	L	H	I	R	V	A	U	R	R	L
U	G	O	U	C	S	E	S	T	I	A	A	L
L	E	T	E	T	T	S	Z	A	H	N	P	E
F	L	H	U	I	E	I	U	R	C	L	O	R
N	A	V	G	A	K	A	N	D	R	E	L	I
E	S	R	E	F	A	B	R	U	T	I	A	E
U	U	E	D	R	E	M	A	G	O	T	S	U

- PUTAIN
- DEGUEULASSE
- QUEL CON CE MEC
- SALOPARD
- ABRUTI
- BATARD
- ENFLURE
- CHIANTE
- FUMIER
- BAISER
- SALE GOSSE
- FAIT CHIER
- JE M'EN BRANLE
- MERDEUU
- COUILLE
- CONNASSE
- JE T'EMMERDE

10 CHOSES à faire/ ne pas faire
pendant une sortie scolaire

Cocher la/les cases qui vous semblent les plus appropriées

☐ Partir en plein milieu parce "qu'on a oublié un truc allez bonne journée"

☐ Prévoir une demi-tonne de mouchoirs en papier pour les nez qui coulent toujours

☐ Croire qu'on a droit à un pourcentage de perte comme à l'armée

☐ Organiser une rébellion avec les enfants parce que c'est vrai que la maîtresse est trop sévère

☐ Ne s'occuper que de son enfant parce que les autres sont moches

☐ Draguer la maîtresse parce que vous êtes persuadé qu'elle porte bien son nom

☐ Essayer d'arranger le coup à votre gamin avec la petite Léa en lui forçant à lui tenir la main

☐ Savoir détecter celui ou celle qui a besoin de faire pipi, là, maintenant, tout de suite

☐ Raconter une histoire de sorcière parfaitement appropriée

Les réponses appréciées par la maîtresse :

3 et 9. Globalement, si vous faites quoique ce soit d'autre dans cette liste, vous ne foutrez plus jamais les pieds à l'école, même pour la fête de fin d'année.

LA VRAIE LISTE DE SURVIE

sur quoi dire quand vous êtes pris en flag à mater la télé ...

... ALORS QUE LES PETITS JOUENT À CÔTÉ DE VOUS AVEC LA TÉLÉCOMMANDE, QUE CE PROGRAMME DE LA CHAÎNE HISTOIRE N' EST MANIFESTEMENT PAS POUR EUX, QU' ILS ONT BESOIN D' ÊTRE CHANGÉ DEPUIS QUELQUES HEURES VISIBLEMENT

- *"Crois moi ou pas, ils m'ont forcé"*
- *"Tu savais que (nom de l'enfant) a une passion pour la 2ème Guerre ?"*
- *"Lui et sa télécommande hein..."*
- *" Je vérifie que c'est un truc pour les gamins et après j'éteins..."*
- *"(Nom de votre femme), veux-tu m'épouser ?"*
- *"J'avais jamais vu Toy Story... tain c'est violent quand même"*
- *"J'ai le droit à un avocat et un coup de fil"*
- *"Tu vois ce qui arrive quand on est méchant mon petit, ben c'est la guerre... Ah bonsoir chérie, tu sauvais qu'il n'y aucun cours d'histoire en maternelle ? Quelle honte !"*
- *"Cours gamin, cours..."*
- *" Tu vas rire..."*

LA VRAIE LISTE DE SURVIE
de trucs à emmener en voiture

- [ ] 1 tablette genre Ipad bourrée de 50 à 60 dessins animés version longue

- [ ] 2 bouteilles d'eau (oui 2 parce que la première va être renversée)

- [ ] 6 tonnes de compotes en gourde en petite contenance

- [ ] 1 grosse dose de patience (disponible en pharmacie, existe en format orodispersible ou en suppo pour les plus pressés, attention si les symptomes persistent, consultez un psy)

- [ ] 1 boite de valium (pour les enfants, pas pour vous)

- [ ] 1 CD de musique Zen type resto chinois pour les potentiels embouteillages

- [ ] 50 petits jeux de voiture du type "le prochain qui voit une voiture verte a gagné"

- [ ] Un casque de chantier anti-bruit

- [ ] Les horaires de train sur l'ensemble de votre parcours si vous aviez à balancer toute la petite famille dans la gare la plus proche

LE TEST DE PERSONNALITÉ

**Etes-vous prêt pour être papa
(non mais vraiment prêt hein) ?**

1 / Si on vous dis que ça y est il faut partir en urgence à la clinique, comme ça pouf, vous prenez quoi en premier ?

- La valise de maternité
- Votre femme d'abord
- ▲ L'Equipe du jour, parce que ça risque d'être long
- ★ La fuite

2 / A la maternité ce qui est le plus malvenu de demander aux infirmières, c'est

- ★ Leur numéro de téléphone
- ▲ S'il va y en avoir encore pour longtemps parce que vous êtes super mal garé
- Si c'est normal ces cris là ?
- Ce que vous devez faire exactement maintenant

3 / Pour vérifier si le biberon du petit n'est pas trop chaud

- ★ Vous le faites goûter au chat
- ▲ Vous faites confiance au micro ondes
- Vous testez quelques gouttes sur votre main
- Vous lui donnez froid, c'est plus sûr

---

4 / Avec votre belle-mère après la naissance du petit, vous êtes prêt à...

▲ Faire un "Puissance 4", mais rapide

● Lui ouvrir votre appartement/maison pendant quelques jours, carrément

■ Lui dire que le petit lui ressemble et que ça vous rend fier

★ Lui faire comprendre qu'un enfant ça coûte un bras et qu'avec la crise tout ça...

5 / Pendant le bain il est préférable de....

★ Lui apprendre à jouer à "toi aussi devient Jacques Mayol"

■ Ne pas le quitter des yeux c'est que ça bouge ces petits trucs là.

▲ Lui faire confiance quand vous lui dites de ne pas bouger que vous allez juste faire une course

● La réponse ●

6 / Pour savoir quand changer une couche, il faut

▲ Attendre que l'autre couche déborde

■ Y aller à l'odeur, c'est pas génial mais c'est fiable

★ Tenter de retourner la couche puisqu'on sait bien qu'une couche c'est réversible

● Appeler la maman du petit pour être sûr

7 / Ca y est il mange solide, vous lui offrez donc pour débuter

■ Une purée de carottes

▲ Les restes de la veille, y'a pas de raisons

★ Une côte de boeuf, les bonnes habitudes, c'est tout de suite

● N'importe quoi avec "bio" marqué dessus

8 / Les monstres que vous avez le droit d'évoquer devant le petit

■ Casper le gentil fantôme

● Mamie, ce monstre d'égoïsme

★ Ted Bundy

▲ Le monstre des placards qui ne sort que la nuit

9 / Dans une sortie scolaire, sachant que vous êtes parti avec 27 enfants, combien faut-il en ramener ?

★ 25 : on a le droit à 10% de perte

■ 27 : les parents sont susceptibles avec ça

● Le votre

▲ Vous n'avez pas d'enfant, qu'est-ce que vous foutez là ?

10 / Pour soigner un bobo, au genoux ou ailleurs, on va plutôt

- ■ Mettre du rouge qui ne pique pas
- ● Faire un bisous magique
- ▲ Appeler maman pour savoir quoi mettre
- ★ Lui passer la main dans les cheveux en lui disant "allez t'es un vrai bonhomme, c'est rien"

11 / Les petits mensonges tolérés et difficiles à éviter

- ■ Le père Noël et sa tripotée de rènes
- ▲ Le chien "pépéte" qui est parti au ciel avec tous les autres vieux chiens
- ★ Son adoption
- ● Rester bloquer à loucher s'il y a un coup de vent

12 / Sur l'échelle des emmerdes, ce qui vous semble le plus important au premier coup d'oeil

- ★ Le mercato raté de l'OM
- ■ L'école qui appelle parce que le petit a de la fièvre
- ● Rester tard au bureau ce soir et rater le coucher du gamin
- ▲ La malédiction de la chaussette orpheline

Résultat :

Vous avez une majorité de ■

Visiblement la papaterie c'est votre truc. Vous êtes fait pour ça et vous considérez comme une maman comme les autres, finalement. En lisant ce livre, vous dites "facile", "ok, j'apprends rien" ou encore "il a raison ce con, je suis un super papa". On est très content pour vous, mais faudrait pas non plus trop se la péter.

Vous avez une majorité de ●

On sent que vous avez la fibre, mais il reste quelques zones d'ombre. C'est pas grave, ça se travaille, Rome ne s'est pas fait en un jour, être papa non plus. Il faudra juste continuer à montrer la même bonne volonté que dans les premiers jours. Tant qu'on en parle, n'oubliez le cadeau de naissance pour madame, vous marquerez des points.

Vous avez une majorité de ▲

Comment dire... vous n'étiez pas programmé pour ça, mais il va falloir vous y mettre. Alors non, s'occuper du petit, c'est pas "un truc de bonne femme". S'il y a un mot pour dire "papa", c'est sûrement qu'il y a une raison. Essayez, vous pourriez être surpris.

Vous avez une majorité de ★

Mais pourquoi avez-vous acheté ce livre ? C'est dingue ça parce que visiblement vous ne voulez pas d'enfant et finalement comme ça au premier coup d'oeil on se dit que c'est pas plus mal. Essayez déjà de prendre un chat ou hamster pour voir comment ça se passe.

CHERCHEZ L'INTRUS
Les livres pour enfants étranges

Attention 2 vrais livres pour enfants se sont cachés dans cette liste. Si vous les retrouvez, entourez-les !

1. *"Tu es différent et c'est mal"*
2. *"Maman est partie pour longtemps"*
3. *"La nouvelle amoureuse de papa s'appelle Pedro"*
4. *"Les plus beaux gros mots pour l'école"*
5. *"De la petite taupe qui voulait savoir qui lui avait fait sur la tête"*
6. *"Petit guide pour devenir le roi de l'autostop"*
7. *"Super Electro et les doigts dans la prise"*
8. *"Papa est parti tôt et ne reviendra pas"*
9. *"Petit Ours Brun et la maladie des reins"*
10. *"Les chats peuvent voler"*
11. *"Les petits frères peuvent voler aussi"*
12. *"Garfield a le sida du chat"*
13. *"Les jolis bonbons du voisin bizarre"*
14. *"Les enfants riches ont plein de trucs, pas toi"*
15. *"Les monstres de placard existent (écoute...)"*
16. *"101 petites astuces spécial micro-ondes"*
17. *"Tchoupi n'aime pas la crémation"*
18. *"Le Gros Camion qui pue de mon Papa"*
19. *"Leo et Popi tout aplatis (la ceinture en voiture c'est bien)"*
20. *"Martine et le Space Cake"*

(Bonnes Réponses : 5 et 18)

LE MEMORY

10 phrases à prononcer au moins une fois par jour et donc à apprendre par coeur

Lisez-les, fermez les yeux et répétez-les. Recommencez autant de fois qu'il le faudra. Gouverner, c'est anticiper...

- *Pipi, les dents, au lit !*
- *Tu m'écoutes ?*
- *Attention je compte : 123...*
- *Fais attention*
- *Non et non !*
- *On ne court pas dans la rue*
- *Donne moi cet iPhone*
- *Tu as lavé tes mains ?*
- *Mange s'il te plaît*
- *Goute d'abord, c'est bon, c'est des légumes*
- *Je t'aime*
- Optionnel : *Tu préfères papa hein ?*

Ça rentre ? Faites un effort, madame a bossé pendant 9 mois, vous pouvez prendre 10 minutes...

DEVINETTE
C'est qui le bon âge ?

Pour passer pour un pro, enfin surtout pour éviter de passer pour un naze, révisez vos basiques sur les étapes du petit...

1. Les premières dents ? (on est de tout coeur avec vous)

2. La fin des couches ?

3. Les premiers dessins qui ressemblent à quelque chose ?

4. L'envie d'un scooter ?

5. Les premiers repas solides et par solides on n'entend pas un burger ?

6. L'entrée au CP qui change parce que maintenant "c'est un grand" ?

7. La première fois que vous l'emmenez au cinéma ?

8. Les premiers pas ?

9. La manie de vous piquer votre téléphone pour jouer avec ?

10. Quand ils se roulent par terre au supermarché et vous mettent la honte un peu partout ?

11. Le droit de regarder la 53ème diffusion de "la course aux jouets" avec Schwarzenegger ?

APPRENEZ À DESSINER EN 2 MINUTES CHRONO

Pour faire du petit un futur artiste, il faut que vous même vous soyez capable de dessiner même grossièrement des trucs essentiels de papa. En reliant des points par exemple

Ça parce que c'est joli et qu'on en voit sur chaque dessin d'enfant

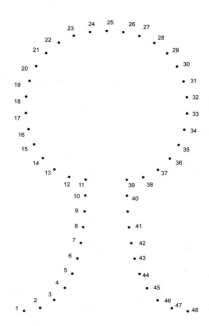

Ça parce que c'est facile et que vous êtes vraiment une quiche en dessin

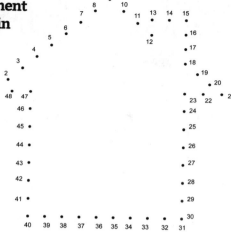

Ça parce qu'il faut qu'ils sachent ce que c'est pour ne pas y toucher. Jamais

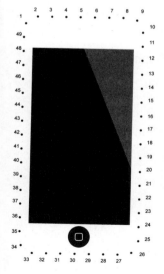

TROUVEZ LES CORRESPONDANCES
des grands dessins animés

Etre papa c'est se taper plein de fois le même dessin animé mais faire semblant quand même de s'y intéresser de près. Autant réviser vos classiques. Relie les deux colonnes avec leurs correspondants. (Un intrus s'est glissé dans cette liste)

Rox ————	Rouky
Bernard	Les 7 mains
Tic	Les chipmunks
Sully	Poppi
Alvin	Bianca
Woody	Bob
Leo	Doudou
Tchoupi	Milou
Tintin	Buzz l'éclair
Blanche Fesse	Tac

VOUS ET VOS LISTES

(c'est à vous de jouer)

Lire des listes, c'est bien. En écrire pour ne pas oublier, c'est mieux. Alors pour vous souvenir de ces petites choses de papa qu'on oublie trop vite, prenez quelques minutes. Et un stylo, aussi.

LA LISTE de ses premiers petits mots

Exemples

1. « *Aga-Aga* »

2. « *Bibliothèque* »

3. « *Tonton ? * »

4.

5.

6.

7.

8.

9.

10.

LA LISTE des choses qu'il/elle adore

Exemples

1. Mettre mes chaussures pointure 42 alors qu'il chausse du 15

2. Regarder *Cars*. On en est à la 63e fois

3. Prendre le biberon du soir dans les bras de son père

4.

5.

6.

7.

8.

9.

10.

LA LISTE des endroits où j'ai préféré aller avec lui/elle

Exemples

1. Au musée du Louvre malgré les flashs japonais qui rendent aveugle

2. À Disneyland Paris parce que j'ai embrassé Minnie, un vieux fantasme

3. Au Stade de France même s'il a pleuré au moment du but

4.

5.

6.

7.

8.

9.

10.

LA LISTE des gros cadeaux que je lui ai offerts pour que plus tard il n'oublie pas de m'en faire aussi

Exemples

1. Un bateau-pirate Playmobil

2. Un costume de Zorro

3. Une montre Breitling trop grande pour lui, alors c'est moi qui la mets

4.

5.

6.

7.

8.

9.

10.

LA LISTE de ses petites habitudes

Exemples

1. Faire pipi au moment où j'enlève la couche

2. Refuser de faire la sieste

3. Parler une langue inconnue à son nounours

4.

5.

6.

7.

8.

9.

10.

LA LISTE de ses premières fois avec les dates

Exemples

1. 8 août : le premier pas

2. 8 août : la première belle gamelle

3. 8 août : les premiers points de suture

4.

5.

6.

7.

8.

9.

10.

LA LISTE des choses que je ne referai pas exactement pareil

Exemples

1. Le choix du prénom. Goldorak, c'est lourd en fait

2. Couper le cordon avec les dents

3. M'énerver un peu trop vite, des fois

4.

5.

6.

7.

8.

9.

10.

LA LISTE de ses livres préférés

Exemples

1. *Mitch a disparu*

2. *La Petite Taupe qui voulait savoir qui lui avait fait sur la tête*

3. N'importe quel livre à moi qui traîne, pour le déchirer

4.

5.

6.

7.

8.

9.

10.

LA LISTE des choses que je voudrais
qu'il ait prises de moi

Exemples

1. Ma recette du risotto aux asperges

2. Ma bonne humeur le matin

3. Mes pieds. J'ai de beaux pieds

4.

5.

6.

7.

8.

9.

10.

NB : si vous êtes en train de feuilleter le livre et si vous regardez la dernière page pour savoir qui c'est le meurtrier parce que c'est plus fort que vous, merci d'arrêter ça tout de suite et de reprendre par le début, sinon ça gâche tout.)

Voilà, vous arrivez à la fin du livre. Je viens donc de recevoir un SMS m'indiquant « *votre livre a été lu en entier par le lecteur n° 34262* ». Alors oui, ça fait beaucoup de SMS, mais ça me donne l'occasion de vous remercier pour votre patience, pour ne pas avoir corné trop de pages, pour avoir ri dans le métro et vous être senti un peu bête de rire tout seul.

Si vous en voulez encore, venez faire un tour sur Topito.com, on continue à y faire des listes sur des sujets très divers toute la journée. Comme des malades mentaux, oui, c'est un peu ça, mais le psy dit que ces derniers temps, quand même, ça va mieux. Ça nous donnera l'occasion de nous recroiser.

Si vous en avez assez, on vous comprend aussi, alors lâchez ce livre et allez embrasser quelqu'un que vous aimez, boire un verre de Chinon, regarder une série télé d'enfer, marcher dans une rue inconnue juste à côté de chez vous, prendre un avion pour un nouveau pays, faire des photos, regarder votre petit grandir...

QUE LA PATERNITÉ SOIT AVEC VOUS. ET LA FORCE JEDI AUSSI, MÊME SI LA PATERNITÉ, C'EST MIEUX.

Le moment où on fait la liste des gens à qui on dit « *merci* » (et on a bien raison)

Quand on regarde les Césars, on se demande à quoi ça peut servir de remercier tout le monde, sa mère, les machinistes et puis Cécile-la-stagiaire-de-la-production sans qui rien n'aurait été possible. Maintenant que vous avez ces quelques pages entre les mains, je comprends mieux pourquoi remercier les gens qui vous ont aidé à achever un projet personnel n'a rien de si étrange.

Merci à

- Elsa, parce que sinon il n'y aurait simplement pas de livre. Enfin si, mais pas celui-là. Et plein de fautes en plus.
- Benoît/Floyd, pour sa confiance topitesque.
- Ronan, pour son talent de 8 h 30.
- Topito, d'où sont tirées quelques-unes des listes de ce livre.
- Les lecteurs de Topito, pour leurs visites régulières et les « *like* » qui vont avec.
- Pacco, pour les dessins trop classe.
- Michèle (avec un *l*) / maman pour me dire toujours « *c'est bien, si ça te plaît* ».
- Cathy et Zaza, pour leurs exemples.
- Massic, pour le futur spectacle-ou-pas.
- Hélène parce qu'on n'est jamais trop prudent.
- Romain pour ses essais de couverture (« *tu peux m'en faire une autre ?* »)
- Ceux de Tours, pour les « *ça avance bien* » ?

- Ceux de Paris, pour les « *c'est super, bravo* ».
- Ceux du Mans, pour les « *fais ton truc, je fais le barbeuq* ».
- Montréal, pour l'inspiration.
- Je-sais-pas-qui, pour Internet, c'est vachement pratique ce truc quand même.
- Karine-j'adore de chez Tut-tut, pour sa confiance d'éditrice.
- Monsieur Riri (beiro), pour le tuyau.
- Mark Leigh et Mike Lepine, rois de la liste stupide en anglais.
- Les Nuls, pour m'avoir fait penser à sortir le bouquin le 12.
- François Morel, pour m'avoir donné envie de faire aussi bien.
- Nick Hornby, pour le coup des listes, pas con.
- Cantona, parce que quand même…

Et bien sûr à **Nino** et **Jules**, mes deux fils, pour leur inspiration quotidienne. Continuez les gars, mais mollo le dimanche matin.

Découvrez tous les guides de survie

Une collection à retrouver sur www.editionsleduc.com